ВЫСОКИЙ СТИЛЬ

ИРИНА
МУРАВЬЁВА

РАЙСКОЕ ЯБЛОКО

ЭКСМО
МОСКВА
2013

УДК 82-3
ББК 84(2Рос-Рус)6-4
М 91

Художественное оформление серии
Виталия Еклериса

Муравьёва И.

М 91   Райское яблоко : роман / Ирина Муравьёва. —
М. : Эксмо, 2013. — 288 с. — (Высокий стиль. Проза И. Муравьёвой).

ISBN 978-5-699-66368-2

Адам и Ева были изгнаны из Рая за то, что вкусили от запретного плода. Значит ли это, что они обрекли весь человеческий род на страдание, которое неразрывно связано с любовью?
Алеша, мальчик из актерской московской семьи, рано окунулся
в атмосферу любви-страсти, любви-ревности, любви-обиды. Именно эти чувства связывают его родителей, этой болью пронизана
жизнь его бабушки, всю себя отдавшей несвободному женатому
человеку. Как сложится судьба ее внука, только что познавшего
райское блаженство любви?

УДК 82-3
ББК 84(2Рос-Рус)6-4

ISBN 978-5-699-66368-2

Глава первая
АЛЕША

Лето особенно запомнилось Алеше свежим и терпким ароматом леса — он от него просыпался. Сами по себе деревья не могли так пахнуть — так пахла вся летняя жизнь. И листья, и кроны, и вылезшие из земли корни, которые напоминали вздувшиеся вены на руках молочницы, и звери, которые прятались в чаще и там же кормили детенышей. А зверь каждый пахнул по-своему. И было полным-полно птиц и гнезд с их птенцами. Они раскрывали чернильные рты, и мать, подлетая, совала то в один, то в другой жадный рот живого червя. И не было жалости в птичьих глазах, ведь червяк был чужим, а этот орущий птенец — родным сыном.

Алеша был сыном и сам. Родным и любимым. При этом он, кроме страданий, почти ничего не изведал. А может быть, если отец бы не пил, то было бы все по-другому. А может быть — если бы не был актером. Семья заплатила за водку и славу тем, чем положено — болью и страхом.

Обычно артист встает поздно, к полудню, возвратившись после спектакля лишь на рассвете. После спектакля никто не идет прямо домой. Идут в ресторан, или в закусочную, или в гости к тому, к кому можно нагрянуть, не боясь разбудить после одиннадцати. Потом наступает глубокая ночь. Журчит в батарее вода. Тянет холодом в форточку. Алеша, конечно же, спит. И мама. И даже, наверное, бабушка с ее этой вечной проклятой бессонницей. Но каждый из них просыпается, заслышав, как затормозила машина у дома.

— Ну, сколько натикало? (Голос отца.)

— А сами не видите? (Голос шофера.)

— Держи. (Снова голос отца.)

— Спокойной вам ночи.

Скользнув равнодушным огнем по скамейке, такси отъезжает. Из спальни выходит мама — в длинном халате, тонкая, как оса, и такая же равнодушно-озлобленная, как оса, которой как будто бы все равно, прихлопнут ли нынче ее полотенцем. И если прихлопнут, не очень-то жалко — варенье все съедено, полки пусты.

Потом начинается скрежет и шум. Дверь не открывается: ключ не попал. Опять не попал. Звон. Упала вся связка. А мама, оса, затаилась и ждет. И вот раскрывается дверь, и на маму нисходит лавина снега. На лбу снежный бинт. Значит, только упал.

— Дополз?

— Помолчи! Ребенка разбудишь!

— Ребенок не спит.

— Все равно замолчи!

— Я долго молчала.

— Когда ты молчала? Пусти, я умоюсь.

— Нет, ты уж послушай!

— Уйди.

— Не уйду. Когда это кончится?

— Чтоб ты подохла!

— Не бойся, подохну! Но после тебя!

Алеша зарывается в одеяло и там, в темноте, где тело покалывают крошки печенья, которое съел, засыпая, дрожит крупной дрожью. Ведь мог бы привыкнуть, а не получается.

Бывали, однако, и праздники. Зимою поставили новый спектакль — «Семейное счастье». Когда решалось, кому играть главную роль, отец неожиданно пить перестал и вдруг похудел, побледнел, подтянулся. Глаза его стали тревожными, жалкими. И мама однажды его обняла — когда сели завтракать, вдруг обхватила одною рукою за шею, в другой был омлет, еще весь пузырящийся.

— Не бойся, ты будешь играть.

— Не дадут. Ануфриев метит.

— Ты будешь играть. Я сон вчера видела.

— Хватит про сны!

— Да что значит хватит? Пеку я блины. И сахаром их из кулька посыпаю. Теперь уже точно, ты будешь играть.

Она не ошиблась: отцу дали роль.

Премьера состоялась перед самым Новым годом. И мама накрасила губы так ярко, как будто бы главную роль дали ей. И бабушка тоже накрасила губы. У бабушки есть для кого губы красить. Для Саши, любовника. Женатого, с очень больною женой. Она уже год в психбольнице. История грустная, нервная, долгая, но бабушка терпит. Деваться ей некуда.

От дома идти до театра пешком. Живут Володаевы в центре. Музей Станиславского — прямо у них во дворе, смотрит через дорогу на зашторенные окна корейского посольства. Корейцы одеты всегда одинаково: штаны темносиние, белые блузки. На каждом корейце значок. С другой стороны от музея растет вековая огромная липа. Она прикрывает музей от дворовых — актеров, старух, стариков и детей. Зимой, когда дерево обнажено, то можно увидеть на стуле смотрителя. Он спит, и его бакенбарды шевелятся.

На премьере было так много знакомых, что маму от страха, что папа провалится, слегка затошнило. Помада вся стерлась. А бабушка — тоже от страха — держала любовника Сашу так крепко, что палец с его обручальным кольцом немного вспотел.

Во втором акте отец, с шелковым шарфом на шее, сказал:

— Ведь я для вас стар. И не спорьте. Я знаю, что я для вас стар!

Алеша напрягся, и тут ему вспомнилось: он был совсем маленьким, кротким и толстым. Гуляли с отцом на Никитском бульваре. Детишки давно разошлись. Алеше хотелось домой, но отец все топтался и грел его руки в ладонях. И вдруг подбежала какая-то девушка. Отец сразу кинулся к ней. Они обнялись и стояли так долго. Она разрыдалась, открыла лицо. Алеша запомнил: лицо было мокрым. И что-то такое отец ей сказал... Да, он ей сказал эту самую фразу:

— Я стар для тебя. И не спорь. Слишком стар.

Мороз был тогда, очень сильный мороз.

На сцене отец его, статный, высокий, с горящими скулами, все повторял:

— Я стар для вас. Слышите, Маша? Прощайте.

И тут же актриса с пшеничной косой вдруг так закричала, что зал даже вздрогнул:

— Вы низкий, вы неблагородный! Как вы... Как вам... Вы знали, что я вас любила! Люблю! И как же вы можете... Как вам не стыдно!

Пошел занавес. Зрители зааплодировали.

— Ну, мастер, ох, мастер! — сказал кто-то маме. — Ведь он же живет! Не играет, живет!

Отец его кланялся. Мама, бледнея, смотрела в бинокль на сцену. Партнершу отца звали Юной Ахметовной. Она жила прямо под ними, на третьем. Мужья ее часто менялись, поскольку у Юны Ахметовны сын-алкоголик. Он то пропадал, то опять появлялся. Ей было семнадцать, когда он родился. Теперь ей исполнилось сорок. Сын выглядит старше, чем мать. Глаза ее — два золотых полумесяца, улыбка прелестна, фигура божественна. Таких, как она, любят мучить мужчины. И за красоту, и за легкий характер.

Крикливая стайка отцовских поклонниц струилась к гримерке рекой из букетов. Но мама раздвинула их и вошла. Алешу втащила, как ватную куклу. Отец, отлепляя бородку, был весел и, видно, смущен своим шумным успехом.

— Ну, как тебе в целом? — спросил он у мамы.

— Сыграл хорошо. Вжился в роль. Даже слишком.

Отец покраснел и нахмурился:

— Хватит! А я ведь как чувствовал... Сразу припомнишь!

— Так я не забывчива. Ты это знаешь!

— А то мне не знать! Паранойя твоя...

— *Моя* паранойя? А я здесь при чем?

Отец заиграл желваками и сразу сменил неприятную тему:

— Там вроде уже отмечать собираются...

Ему не терпелось от них отвязаться.

— Иди отмечай! Доберешься к утру? Мороз обещают. Смотри не замерзни. И Юну Ахметовну не заморозь.

— Ты дура, Анюта. Хоть Юну не трогай.

— Да мне наплевать! Даже лучше — соседка! Такси брать не нужно. Сел в лифт и приехал!

— Ну, все. Я пошел.

И раскрыл дверь гримерки. Его обступили влюбленные женщины. Букеты в скрипучих тугих упаковках, сцепляясь шипами и лентами, посыпались прямо ему на лицо. Он так и стоял — весь в цветах, он искрился.

Иногда Алеше казалось, что он разгадал их семейную тайну. Над ними, конечно, висело проклятие. Они очень сильно любили друг друга, но только больной и нелепой любовью, поэтому грызли себя и других, как белки орехи. Сгрызали до крови. Взять маму. Она ни на секунду не прощала бабушке, что та развалила чужую семью. А бабушка не отвечала на это, жила своей жизнью и только шипела, когда пропускала синюшное мясо сквозь мясорубку:

— Еще не хватало! Меня ей учить! С больной головы на здоровую! Нет уж!

И быстрой рукою месила кровавое.

Отец же и мама друг за друга боялись. Вот это и было больнее всего. Особенно они боялись, когда кто-то из них заболевал. Им, может быть, было не так уж и важно — ругаться, мириться, молчать по неделям. Им было неважно, в каком они *качестве*. Но зная, что качество всей их семьи, скорей всего, среднее, а может, и низкое, они и боялись за эту семью, как люди боятся за дом обветшавший и сад, где полно сорняков да вредителей.

В конце зимы у отца случился инфаркт. Его вылечили, но мама как будто слегка обезумела. Теперь она не только прятала от него все спиртное, не только бросала трубку, услышав голос режиссера Ефимова, звонящего из ресторана с просьбой к отцу приехать — «уже собрались», — теперь она встречала его после спектаклей: ходила к театру со старым бульдогом по имени Яншин, который останавливал внимание размером своих очень жирных, обвисших, от возраста вытертых щек — ярко-красных у глаз и розово-рыжих на шее, хотя самой шеи за жирными складками практически не было видно. Мама поджидала отца в фойе, где со стен на нее смотрели актеры с актрисами, и Яншин — по странной и необъяснимой причине — рычал на портрет одного старика с обвислыми, очень большими щеками.

Отец, лишенный возможности улизнуть, смиренно тащился домой вместе с мамой, а дождик, дрожащий и вкрадчивый дождик на них моросил, словно бы в удивленье. Отец обнимал маму крепко за плечи — и так, под одним полосатым зонтом, высокие, стройные и моложавые, как будто они никогда не ругались, а так вот и жили в счастливом единстве, они торопились к себе, а собака едва поспевала за быстрым их шагом.

В конце июня родители вместе уехали на гастроли. Мама, которая понимала, что, как только отец окажется на свободе, так жди возвращенья отчаянной жизни, а стало быть, и повторенья инфаркта, поехала с ним. Алешу же в сопровождении бабушки отправили в дачный поселок Немчиновка.

Приехали. Сад весь зарос лопухами, и над ними, нагретыми влажным теплом, вились подслеповатые бабочки. Дом после долгой зимы отсырел, на стенах была кое-где плесень. На одной половине дома жили бабушка, Алеша и бабушкина двоюродная сестра Амалия из Питера. На другой половине — подруга их юности Сонька. Две эти с младенчества близкие женщины слегка походили на спелые яблоки, упавшие с ветки, размокшие, терпкие. Они очень быстро потели на солнце, краснели от зноя, и лямки их платьев всегда оставляли следы на плечах.

Алешина бабушка от них отличалась. Она не старела, как Сонька с Амалией, но все продолжала любить и боролась за эту любовь горячо, как могла.

Проснувшись всех раньше, она надевала старый черный купальник, резиновую шапочку на рыжеватую от хны, миловидную голову и очень легко, мягким женственным шагом шла к пруду купаться. Кроме нее, в нагретой до пара и сизой воде бултыхались лишь утки, а в самое пекло — сожженные солнцем сельские дети. Сельчан, впрочем, не было, были соседи, живущие в старом селе Ромашове. Село — или, как говорили, поселок — было недалеко, через реку Чагинку. Там были и куры, и гуси, и козы. И жизнь вся кипела вокруг огородов и прочих нелегких хозяйственных нужд. Там рано вставали и рано ложились, и пахло там свежим горячим навозом, а в низких, весьма неказистых домах на всех подоконниках были горшки с растеньем алоэ и красной глоксинией. Дачники на другом берегу Чагинки держались замкнуто, с поселковыми не мешались, имели на своей территории магазинчик, сторожку, где жил пьяный сторож, и лес. Ходили в панамках, а то так и в шляпах, и праздность их била в глаза — сидели в садах и чаи распивали.

Наплававшись в полыньях чистой блестящей воды среди толстых круглых листов кувшинок, бабушка принималась готовить завтрак. К завтраку выходила из маленькой комнаты Амалия в голубом капроновом халате, прожженном тут и там утюгом, и следом — картавая сплетница Сонька.

— Сегодня заказ, — сообщала им Сонька. — Сказали: собраться в березовой роще. Чтобы из поселка никто не пронюхал.

Раз в неделю дачникам полагался продовольственный заказ. Он оформлялся заранее, заранее был и оплачен. Никто из поселка не должен был знать, что в этой невинной березовой роще, прикрытые сверху своими панамками, бездельницы каждый четверг получают наборы прекрасных продуктов. И дешево — кооперативная льгота. И сразу все прячут в пакеты и сумки. Расходятся по одной, напевая.

Вспомнивши, что сегодня четверг, бабушка и Амалия переглядывались. Это их всегда забавляло.

По пятницам бабушку навещал Саша. Выходные он проводил на даче, не ездил в больницу к несчастной жене, и бабушка привычно продевала свою еще сильную женскую руку под локоть чужому неверному мужу, кормила его на террасе отдельно, водила гулять на Чагинку. Чагинка была очень тихой, глубокой, на редкость ко всем дружелюбной рекой.

В субботу вставали попозже и долго, старательно ели нехитрый свой завтрак. К столу подавали клубнику, творог, Амалия делала кашу из тыквы, а бабушка сырники или оладьи. Когда в доме появлялся мужчина, Амалия с Сонькой вдруг преображались. Подводили глаза и припудривали постаревшие лица. Присутствие

Саши, его мягкий, низкий, с приятной хрипотцой голос из сада, и то, как он долго стоял в летнем душе, — вода все лилась и лилась, а он пел, — люди часто поют, когда моются, — на них наводили тревожную томность. Они изумлялись, однако, на Зою — любовь в этом возрасте, прямо при внуке! Ну ладно бы просто приехал! Ну, можно. Попили бы чаю, сходили бы к мельнице (достопримечательность и под охраной!). Но чтобы бежать к ней наверх *ночевать?* А чувства ребенка их не беспокоят! Бог знает, что там происходит с ребенком, когда он лежит в угловой узкой комнате, не спит, и дыхание летнего сада доводит его до головокруженья?

Алеша же с детства привык ко всему: скандалам, изменам, к словам, как на сцене, внезапным слезам и внезапному смеху — короче: всему, что зовется любовью.

Он вдруг начал быстро и резко меняться. Подмышки его заросли волосами, а круглые щеки немного запали. Он начал стесняться смотреть на людей. Как будто внутри его кто-то согнулся от собственных мыслей, и все стало мутным, все словно двоилось, как это бывает, когда заболеешь. Но Сонька, картавая сплетница, сразу учуяла запах Алешиных мыслей. Они были скверными, стыдными, дикими.

И Сонька сказала Амалии с Зоей:

— Алеша созрел.

— Он тебе не клубника! — отрезала бабушка и помертвела.

— А вот вы увидите! Сами увидите. Теперь глаз да глаз. И цыгане придут.

В Немчиновке летом стояли цыгане. Они приезжали сюда каждый год. В начале июля, когда застывала природа от зноя, и даже Чагинка и та подсыхала местами от жара, врывалось в Немчиновку черное племя, все в золоте, жилах, со звоном и грохотом.

Они приезжали в тяжелых повозках. С повозок свисали их пестрые тряпки. Мужчины вели под уздцы лошадей. А дети с глазами как угли сосали отвисшие женские груди. Их девушки были похожи на птиц — такие же громкие, в красном и желтом, — с босыми ногами, покрытыми пылью.

Дачникам приходилось словно проснуться — увы, завершалось их мирное время, когда, скажем, сядешь на пеструю грядку и рвешь себе спелую ягоду, рвешь, потом ее в таз, сахарком посыпаешь и варишь варенье — на целую зиму. А сваришь варенье — ложись отдыхай. В четверг — за заказом в прохладную рощу, а утром на станцию за молоком. Калитки открыты, и двери открыты, и пахнут янтарной смолою стволы.

А тут словно сглазили тихое место. Весь берег зеленый покрылся шатрами, костры потянулись к верхушкам деревьев, и голые дети усыпали воду своими глазами, плечами, локтями, и мокрые их завитки зачернили согретые солнышком волны Чагинки. Пришлось защищаться — калитки закрыли, домашних животных попрятали в комнаты, младенцев теснее прижали к себе: ведь не вырвут из рук-то? Из рук-то не вырвут. Дремучее древнее время вернулось, теперь — кто кого? Вы, черные, в жилах и саже — нас, белых, в панамках, носочках, с ключами от дома?

В Немчиновке, в темных аллеях ее, в садах ее розовых все зазвенело, цыгане ходили по дачам с оркестром — три скрипки и бубны. Три парня с большими зубами, кудрявых, и три гибких девки, босых, черноглазых. У каждой по розе в руке.

В четверг и до них дошло дело — Алеша, Амалия, Сонька и бабушка стояли на стертых ступеньках, смотрели.

— Давай погадаю, хорошие! — крикнула одна черноглазая и розу до крови в губе закусила зубами. — Давай выходи! Просто так погадаю. Захочешь, плати, не захочешь — не надо!

Бабушкино лицо отразило борьбу — Алеша увидел, как брови ее страдальчески изогнулись, глаза заблестели. И, сделав шаг, она оказалась на нижней ступеньке террасы.

— Не бойся, красивая! Дай погадаю! Душа у тебя разрывается, вижу! Иди, я всю правду скажу!

И бабушка, как заколдованная, отворила калитку, впустила к ним всех шестерых. Парни весело и страшно оскалились, озираясь. Девка, что заприметила бабушку, смело схватила ее за безвольную руку и уткнулась в ее ладонь, две других прошагали к Амалии с Сонькой.

— Не надо, спасибо! Я в это не верю! — шепнула Амалия и покраснела.

— Да что мне гадать-то теперь? Отжила! — хихикала Сонька. — Вот раньше бы надо!

Однако стояли покорно, как овцы.

— Ай, что за беда! Ай, беда так беда! — причитала первая девка, явно желая, чтоб все ее слышали. — Ай, сохнешь, хорошая! Он-то гуляет!

— Что значит гуляет? — белыми губами спросила бабушка.

— Женат он, женат! — забурлила цыганка. — Жену разлюбил, вся больная насквозь!

Бабушка оглянулась на близких.

— Он выгоды ищет, — бойко прорицала цыганка. — Ты думаешь, что ты одна у него? Жену похоронит, молодку найдет! Ой, суку-молодку! Уже приглядел!

— Неправда...

— Какая неправда, красивая? Уж им, кобелям-то, законы не писаны! Сейчас он тебя вроде как привечает, ты спать мягко стелешь, покушать готовишь, чего он ни скажет, ты в рот ему смотришь! А как похоронит жену, так и деру!

— И что же мне делать? — совсем растерявшись, почти всхлипнула бабушка.

— Что делать? Пустая ладонь-то! — сокрушалась цыганка. — Не знаю, что делать! Ладонь-то пустая!

И бабушка, с мелко дрожащим лицом, легко, будто девочка, взмыла наверх — и вскоре вернулась с соломенной сумкой.

— Давай — не считай! — взбодрилась цыганка и, выдернув из кошелька две бумажки, опять посмотрела в ладонь. — Ай! Вижу, что делать! Ай! Дай помогу! Есть верное средство, но только присушим уж так, что его не отсушишь обратно!

— Согласна...

— А раз ты согласна, пойдем с тобой в дом. На людях нельзя, у них глаз завидущий!

— Ты, Зоя, куда? — прошептала Амалия.

Но бабушка лишь отмахнулась. Цыганка, простучав грязными пятками, уже была в комнате.

— Алеша! За ними ступай! Проследи! Алеша, ступай! — шипели, как змеи, Амалия с Сонькой.

— Бедовая ты, ай, бедовая, вижу! — заговорила девка постарше, ухватив хихикающую Соньку. — Таких мужиков загубила, что страсть!

У Соньки победно блеснули зрачки.

— А любит тебя, очень любит один, живет в другом городе, очень страдает!

Амалия все повторяла, что с детства нисколько не верит гаданьям, но вскоре и ей набрехали такого, что вся она вдруг запылала, как роза, и даже схватилась рукою за сердце. Бабушка вышла из комнаты полуживая, и три босоногие девки в размашистых юбках, их подобравши, сделали парням знак уходить — один пропиликал на скрипке какую-то песенку, очень знакомую, и шестеро смуглых лихих колдунов, звеня в летнем воздухе связкой монистов, шурша по траве разбитыми ногами, пошли себе дальше, белозубо оскалясь, лелея нечистые цели.

За обедом женщины развеселились, хватили слегка прошлогодней наливочки, чтоб не так было стыдно перед Алешей, пересчитали в кошельках деньги, хватились серебряных вилок и ложек и вскоре легли отдыхать. Алеша страдальчески наблюдал разрумянившиеся во сне щеки старой девушки Амалии, плотные наплывы на ее щиколотках, собравшиеся над тесными матерчатыми туфлями, вспомнил статного Сашу, женатого на сумасшедшей Лизе, — и вдруг раздраженье на всех этих взрослых и вроде неглупых людей, на всю их нескладную жизнь, такую неловкую и несчастливую, — как будто толкнуло его прямо в грудь. Ему захотелось заплакать от злости. И, главное, никуда не сбежишь! Ну, может быть, только взглянуть на цыган. Вдохнуть в себя этой цыганской свободы. Хотя это, может быть, тоже брехня: какая свобода? откуда ей взяться?

До места у Чагинки, где стоял непрошеный табор, от их дачи петляла тенистая, в пятнах от солнца дорога. Как это часто случается в особенно жаркие дни, дорога была пуста, дачники все попрятались, и, кроме девушки с распущенными по плечам светлыми, почти белыми, волосами, Алеше никто на пути не попался. Девушка вела рядом с собою велосипед с проколотой шиной. Они поравнялись. Алеша испуганно спрятал глаза, прошел, не взглянул, но потом обернулся: фигурка у нее была тоненькая, невесомая, обтянутая ярко-пестрым платьицем, босоножки на маленьких каблучках, загорелые руки и ноги. Те мысли, что он гнал от себя, набросились сразу, подобные пчелам, покинувшим ульи. Он словно бы даже услышал их звук больной, очумевший, безжалостный, влажный. Девушка прислонила велосипед к дереву и тоже на него посмотрела — неловкий подросток стоит неподвижно и щурится. Она улыбнулась ему — снисходительно. От вмиг обварившего тело стыда Алеша шагнул, оступился, застыл. Она улыбнулась еще раз — сочувственно. Алеша запомнил две эти улыбки, запомнил ее совсем светлые брови, но глаз не запомнил. Она их отчего-то прикрыла ресницами. Он быстро продолжил свой путь. И вновь обернулся, ее уже не было. От этого он испугался так сильно, что даже вспотел. Она не могла столь внезапно исчезнуть: ведь это же он убежал от нее, она-то осталась под этим вот деревом! Он бросился следом за странной блондинкой, но той нигде не было. Не птица же ведь, улететь не могла! Хотя что-то было в ней птичье, воздушное.

Его охватила горячая злоба: в пятнадцать себя уже так не ведут. К тому же девица и нехороша, и старше намного, и ноги кривые. Он попытался вспомнить, как выглядели ее ноги, чуть прикрытые сверху тесным ей пестрым платьем. Да нет, не кривые, а просто худые. И туфельки на каблучках. Невесомая! Но волосы были густыми и пышными. Лица ее он не успел разглядеть. Ресницы запомнил. Ресницы и волосы. Другой бы, наверное, и познакомился, он выглядит на восемнадцать, не меньше. Помог бы ей с велосипедом. Другой бы! Другой бы давно уже и целовался, и лето бы не проводил со старьем, а жил бы один на московской квартире, водил бы приятелей в гости, девчонок... А он вот не может. И все Вероника!

Душа его произнесла имя — и тут же заныла и закровоточила.

До нынешнего лета Вероника была его единственной любовью. Они росли в одном дворе и ходили в одну школу. Сидели всегда только вместе. От этого он и учился на тройки. Но близость ее плотно сбитого тела и скрип то ли туфель ее, то ли ног в белом эластике, запах ее темно-красных кудрей, ее смех — не только мешали учиться, но были важнее всего на земле. Нередко случалось — соприкоснувшись коленями, они так и застывали с горящими лицами. Сентябрь был теплым, она приходила в простой белой блузочке. Стоило ему скосить глаза ей на грудь, как он всегда находил темнеющую виноградину: сосок ее проступал через ткань.

Представить себе, что Вероника — с ее сияющими щеками и кудрями такой густоты, что она краснела с досады, пока удавалось хоть как-то зашпилить их или сплести, — представить себе, что с конца ноября ее, большеротой, веселой и громкой, уже нет ни дома, ни во дворе, а она где-то в клинике для инвалидов, представить такое Алеша не мог. Ему все казалось, что это ошибка, что нужно проснуться, умыться, одеться, влететь пулей в школу, а в школе — она. И все как всегда. И пушок на висках, и темный румянец, и шрамик над бровью.

Она заболела в конце ноября и после гриппа не смогла подняться с постели. Теперь она только мычит, ее возят в кресле. До самого Нового года в школе никто ничего толком не знал. Алеша надеялся, ждал, тосковал, но утром в первый день после каникул бабушка сказала ему, что вчера Веронику перевезли в специальную клинику. Она видела из окна, как подъехала машина, девочку перенесли туда на носилках, укрытую одеялом до самых глаз, и мать ее влезла за ней, куда влезли следом и два санитара, а папа ее, знаменитый артист, которого все узнавали на улице, сел рядом с шофером.

Через несколько дней он повстречал ее мать, она прошла мимо, и лицо у нее было восковым, неподвижным, а отец Вероники, игравший в одном театре с его отцом, и вовсе ушел из дома, отчего бабушка мстительно и несправедливо заметила маме, что он все равно бы ушел, это только ускорило. Но мама вдруг так закричала и чуть не убила (буквально, как муху!) Алешину бабушку, что та сразу смолкла и больше к больной этой теме ни разу и вскользь никогда не вернулась.

Однажды во сне, — а весна наступила, и все, что сгнивало в холодных сугробах, открылось глазам, но и запах гниенья стал частью цветущей прекрасной природы, — однажды во сне они встретились снова. Вероника сидела у окна, и выпавший из солнца застенчивый луч золотил ее косу, и нежно, с особенно чуткой любовью и радостью он освещал ее ухо и делал его столь прозрачным, как будто оно было вылито из хрусталя. Алеша при этом стыдился чего-то и медлил, почти не смотрел на нее. Зато он шутил с Иониди, гречанкой, которую звали нелепо: Матреной. Матрена, гречанка, раскатисто, сытно, как принято в Греции, громко смеялась. И вдруг Вероника сказала: «пора». Тогда он увидел и косу, и ухо, и кончик манжета с пятном на запястье — след краски, которой покрасили двери, — и даже улыбку. Немного смущенную, но очень светлую. Как будто она прожила свою жизнь, и знает об этом, и все принимает.

И вдруг ему сделалось легче. Вероника, неподвижно лежащая на уродливой, как обломки древней цивилизации, кровати, любила его. И он ее тоже: любил.

Для этого даже не нужно быть рядом. Коленями можно не соприкасаться. Та нежность, и горечь, и страх за нее, и та благодарность к ней даже за этот случившийся вдруг ослепительный сон, в котором вернулись и косы, и губы, и руки ее, и ее чистый голос, и этот покой, какой он ощутил, как только проснулся, — все было любовью.

Нигде не найдя следов странной блондинки, Алеша домой не пошел, а прямо направился к табору. Граница между дачами, почти подступавшими к берегу, на котором живописно темнели пестрые шатры, и этой крикливой цыганскою жизнью была очень строго очерчена рядом высоких и шумных дубов. Грибное, всегда с сильным запахом белых, которые там с молчаливой гордыней росли в ожидании смерти, поскольку все знали, что белые эти растут только там, и, еле дождавшись осенней прохлады, спешили скорее туда, чтобы тут же присвоить себе эти плотные, с глянцем, с налипшей на них золотистой травой, еще не успевшие ни надышаться, ни накрасоваться грибы, — это место Алеша и выбрал сейчас и, усевшись повыше на дереве, принялся жадно рассматривать табор. Его испугал низкий, хриплый, настоянный на отвращении вой. И выл, и рыдал, и давился при этом какой-то подросток, а может быть, женщина. Между тем никто, кроме Алеши, не обращал на этот вой никакого внимания.

Две всклокоченные седые старухи — одна при этом курила трубку — черными обугленными палками помешивали варево в котлах. Два старика сидели под деревом, ворчали, и ноги их были оголены почти до колен. Цыганка, постарше, чем те, что сегодня гадали Амалии, бабушке, Соньке, с тазом, полным горячей воды, подошла к старикам, и они погрузили в таз босые черные ноги, а цыганка достала из отвисшего кармана кофты мешочек: чего-то насыпала в воду. И лица у старых цыган подобрели. Несколько парней и девушек, обогнув дерево с Алешей и не заметив его, как будто бы это и не человек, а гусеница или хрупкий кузнечик, подошли к старухам, варившим еду, и тут же одна из них отбросила палку и села на землю. Девушки принялись вынимать из-под юбок украшения, ручные часы и скомканные бумажные деньги. Старуха пересчитывала деньги, заворачивала их в тряпку, а украшения быстро подкидывала несколько раз на плоской ладони, определяя их вес, пробовала на зуб и тоже заворачивала в тряпку, но отдельно от денег. И вдруг поднялась во весь рост. Не говоря ни слова и только оскалившись, словно волчица, она изо всей силы схватила за волосы одну из девушек, и та вскрикнула — ясно и звонко. Алеша расслышал беседу их сверху, хотя и не понял ни слова.

— Саро джином![1] — сказала старуха.

— Дава тукэ мро лав![2] — прохрипела молоденькая. — Дава тукэ мро лав!

— Мэ ада шуньдэм[3] — отвечала старуха и, подняв с земли обугленную палку, поднесла ее к огню.

— Тырдев![4]

— Хохав Эса![5] — старуха сунула палку в огонь. — Со кираса?[6]

— Тырдев, — повторила обманщица, достав из-под юбки блестящий предмет и вся изогнувшись при этом.

Старуха выпустила ее волосы.

---

[1] Все знаю (*цыг.*).
[2] Даю тебе мое слово (*цыг.*).
[3] Я это слышала (*цыг.*).
[4] Подожди! (*цыг.*)
[5] Обманываешь (*цыг.*).
[6] Что будем делать? (*цыг.*)

— Дэ мангэ подыкхав![1]

Она осмотрела предмет, снизу напомнивший Алеше портсигар, и завернула его в отдельную тряпку.

— Тэ скарин мэн дэвэл![2] — проворчала старуха.

И, снова взяв палку, вернулась к костру. Рыданья и вой стали тише, но тут же сменились на визг. Цыганка, принесшая горячей воды старикам, прислушалась и, хмыкнув, вошла в шатер. Визг сразу затих. С минуту была тишина и кузнечики. Потом вдруг раздался младенческий крик. Цыганка опять появилась, довольная, держа на руках что-то красное, мокрое, размером не больше, чем с белку, и сразу пошла к старикам. Те вытащили из таза свои распаренные, теперь лиловые, а не черные, ноги и внимательно осмотрели новорожденного, не дотрагиваясь, однако, до его тельца в крови. И важно кивнули седыми кудрями. Тогда цыганка понесла ребенка старухам, помешивающим варево в котлах, и та, что курила трубку, вытерев влажные свои руки подолом, а трубку пристроив в углу серых губ, взяла его на руки. Весь заволокнувшись и дымом костра, и дымом старушечьей трубки, младенец испуганно заклокотал.

_____

[1] Дай мне посмотреть! (*цыг.*)
[2] Чтобы тебя Бог покарал! (*цыг.*)

Если бы рядом с Алешей был кто-то еще, то он бы, конечно, сгорел от стыда. Но он был один под прикрытием дерева, и то, что он видел, его возбуждало сильнее, чем книга, чем фильм, и намного сильнее, чем девушки. Чужая цыганская жизнь была терпкой, саднящей, ничуть не похожей на все, что он знал. Вишневое небо горело над табором, и люди в вишневом закатном огне казались ему существами особыми. Когда они соприкасались с такими, как Сонька с Амалией, им было проще надеть на себя эти глупые маски и, скрывшись под маской, украсть, обмануть. Они понимали, что несовместимы с другими людьми, и плевали на это.

Из шатра, пошатываясь от только что перенесенного страдания, вышла молодая цыганка, по виду не больше пятнадцати лет, совсем еще девочка, с большим животом. Подобравши в густых пятнах крови цветастые юбки, спустилась к реке, села прямо на траву, сняла с себя все, кроме ленты в кудрях, потом вошла в воду, почти ослепляя Алешу своей наготой. Он заметил ложбинку на смуглой спине. Ложбинка раздвоила тонкое тело, развела ее круглые бедра по разные стороны, и получилось красиво настолько, что дух захватило.

На террасе мирно горела настольная лампа, и осы кружились над темным вареньем. В бабушкиных глазах затрепетала растерянность, когда она взглянула на медленно подходящего к дому Алешу.

— Ей-богу, я матери все напишу! — испуганно замахала она руками.

— А что ты напишешь? — Он вдруг разозлился. — Пришел ведь, не умер...

— Куда ты ходил?

— К цыганам ходил. Вот куда. Что из этого?

— Ну вот! Я же и говорила: к цыганам! — И Сонька поджала румяные губки. — Уже ведь мужчина. А их, мужиков, к цыганкам с младенчества тянет магнитом. А что в них такого? Паскудные бабы! Небось и не моются, зубы не чистят...

— Да как же не моются, Соня? — спросила Амалия, старая девушка. — Они на реке, а вода как парная.

— Скорей бы уж, Господи, вовсе ушли... — сказала с задумчивой горечью бабушка. — Вот знаю, что врут! Ни минуты не верю! Но факты есть факты.

— Какие же факты? Наверное, сплетни, — вздохнула Амалия.

— Что значит сплетни? — вскинулась бабушка. — Вечно ты влезешь! Сто раз умоляла: не знаешь — не лезь! Ведь я ж говорила, что ехали двое. Сюда, к нам, в Немчиновку. Время военное. Но бронь у обоих. Один — знаменитый хирург, а другой... Не знаю, не помню, но ценный ужасно. Ну, едут, беседуют. Входит цыганка. Все как положено: тряпки, узлы. В узлах — новорожденный, весь как в муке. И просит, конечно: «Давай погадаю! Дитя кормить нечем! Вчера родила, а в грудях — одна жижа. Помрет мой сыночек! Давай погадаю!» А этот хирург знаменитый подумал и ей говорит: «Посидите, мамаша. Давайте я мальчика-то осмотрю». Притронулся к мальчику, а это — кукла!

— О, Боже мой! Кукла! — И Сонька привстала. — Да разве же куклу-то не отличить...

— А как отличишь? Вечер, поздно, темно... Болтается кто-то в узлах на груди... А этот профессор — давай хохотать! «Ну, как разыграла, мамаша! Талант! Ведь чуть было и не поверил! Сыночек...» Она стоит, злая. Стоит и молчит. Потом говорит: «А придется поверить. Сегодня не дома тебе ночевать, а в сточной канаве. Так карта легла». И сразу же юбкой-то щелк! И пошла. Они посмеялись. Хирург знаменитый тогда говорит: «Пойду покурю. А вы ведь не курите? Ну, обождите». И — в тамбур. Курить. Через двадцать минут приятель всполошился: «Где Федя?» Нажали на «стоп», стали Федю искать. А он уже мертвый, в канаве лежит. На полной на скорости с поезда сбросили. Вот и говори после этого... Нет уж!

— Конечно, совпасть очень даже могло... — Амалия вынула серую шпильку, погнутую употребленьем, из кока. (Носила большой пегий кок, весь на шпильках!) — Нельзя же вот просто поверить, и все. Ведь так и в чертей даже можно поверить!

— А как же в чертей не поверить! Ну, Маня! (Амалию звали в семье просто Маней.) Ведь муж мой второй, не Евгений Максимыч, а этот поляк, Теодор Растропович, — да не музыкант, не скрипач этот, Господи! — И Сонька, боясь, что ее перебьют, махнула своей энергичной ладошкой.

— Да он не скрипач...

— Я с этим не спорю, что он не скрипач! Так ведь Теодор Растропович, мой муж, скорняк-то... Ты помнишь его?

— Очень помню. С усишками...

— Какие усишки? Усищи! Красавец! Ведь черти его унесли. Это точно.

— Какие там черти, когда КГБ? Какой это год?

— Какой год? Я думаю, семидесятый. Какой же?

— А может быть, ОБХС, — вздохнула Амалия миролюбиво.

Алеша заметил, что бабушка мрачно и словно страдая их слушает.

— ОБХСС! — поправила Сонька. — Мы ехали с ним на курорт. Красота! Черемухой пахло, июнь! А муж мой, скорняк Теодор, он ведь был... Ну, как обьяснить? Странным был человеком. И брак наш какой-то весь был непростой... Хотя я его просто боготворила! Вот едем мы с ним на курорт. Я платьице сшила в лиловый горошек. Сижу осторожно, боюсь, изомну. А вечером к нам подселили попутчика. Кудрявый такой, глазки как у мышонка. И пахнет, представь себе, «Красной Москвой!» Ну, начали мы разговор, закусили. Я курочку, помню, везла, три яичка. Коньяк у нас был. Теодор Растропович умел угостить. Ну, король, одним словом. И я захмелела, сняла босоножечки и прилегла. Про новый горошек не вспомнила даже. Заснула. Проснулась. Луна за окном. Вообще, много мистики, знаешь... Все в свете каком-то мистическом, лунном...

— Ну, хватит плести! — простонала вдруг бабушка.

— А я не плету! — Сонька сдвинула бровки. — Кому говорить! Ты-то знаешь, *как* было! Проснулась. Лежу. Вижу — эти на койке. Прижались друг к другу боками, молчат. И держатся за руки. Дышат при этом, как будто на пристани бочки таскают. Вот так: «А-а-ах!» И молчат. И опять: «А-ах!» Потом, слышу, кто-то в купе к нам скребется...

— О Господи! На ночь такие рассказы!

— Молчи, Маня. Слушай. Не прячься от жизни! Мой муж Теодор Растропович встает и дверь открывает. И входит военный в расстегнутом кителе. А этот красавчик с глазами мышонка вскочил и на шею ему, как Татьяна!

— Какая Татьяна?

— Татьяна — одна. Татьяна Онегина. Я обомлела. «Ну, думаю, сын!» А всмотрелась — не сын. Лет, может, на семь только старше, не больше. А китель расстегнут. И в губы целует.

— Кого он целует?

— Кого? Не меня же! Целует кудрявого этого мальчика.

— Мужчина мужчину?

— Мужчина мужчину. Тогда Теодор мой военного сгреб, как крысиную шкурку, в кулак и сказал: «Пошел, в общем, вон». А военный ему: «Давайте не будем грубить. Ни к чему».

— Да как это, Соня? Я не понимаю...

— А ты, Маня, слушай спокойно, и все. И этот военный тогда говорит: «Спасибо, котенок. Ты можешь идти».

— Откуда котенок-то взялся в купе?

— Амалия! Ты — экспонат для музея! Тебя под стекло посадить и показывать! Котенок — не зверь, а котенок — парнишка. Ну, этот, с которым мой муж Теодор сидел-обнимался, пока я спала. И мой Теодор говорит: «Так нечестно. Ведь он же меня соблазнял! Я бы мог прожить свою жизнь и без этого».

— Без этого... А без чего?

— Без... Ну, как? Совсем непонятно? Потом объясню! Короче, без *этого*. Ну, а военный ему: «*Это* только предлог. Тут есть посерьезнее вещи, покруче». И вдруг достает документы. А сам улыбается, хитрый такой. «Ну, все, — говорит, — собирайтесь. Пошли. Но только без шума. Жену не будите».

— А ты все спала?

— Спала, разумеется. Крепко спала. Тогда Теодор Растропович сказал: «Однако какие вы хитрые, черти! Нашли ведь лазейку!» И стал хохотать. Икает, хохочет, икает, хохочет. Потом они вышли. Вот так он пропал.

И Сонька победно взглянула на звезды.

— Но как же? — Амалия не унималась. — Ведь он тебе муж. Ты должна была бы его разыскать...

— Я искала! В конце концов мне сообщили, что он — совсем никакой не скорняк, а разведчик. Работал здесь для иностранной разведки. Мне дали совет больше не заикаться. И тут же нас с ним развели. Вот и все. Спасибо, что не расстреляли с ним вместе. Но я тогда сразу сменила квартиру.

Глава вторая
СТРАШНЫЕ СОБЫТИЯ

В Немчиновке никто никогда не пропадал. Муж иль жена, случалось, бросали друг друга. Случалось, что, бросая, прихватывали что-то особенно ценное, вроде совместно нажитого ребенка, или картину знаменитого художника, или, если ничего такого не попадалось под руку, часы со стола, перстенек с изумрудом. Но след их всегда был известен, и вскоре людей этих и возвращали.

В субботу утром рядом с магазинчиком, на двери сторожки и на многих фонарных столбах появилась фотография той самой девушки с белыми волосами, которую встретил Алеша гуляя, и прямо под шеей ее было жирно написано красным фломастером: «*Пропавшая без вести. Лина Забелина. Последний раз видели днем шестого июля на станции*».

Немчиновка оцепенела сначала. Потом пошли предположенья и слухи. Потом стали всхлипывать и ужасаться. Потом перестали детей выпускать не только на речку, но и за калитку. И стало как будто темнее и в небе, и даже в прозрачной березовой роще.

С бидоном, в котором от быстрого шага плескалось слегка молоко, Алеша возвращался из магазина домой и не мог поверить себе, что только что видел ее, эту девушку, с кровавой петлею *«пропавшая без вести»*, и только что слышал, как все вокруг жители вовсю уверяют, что, значит, убили, поскольку никто просто так не исчезнет — не те здесь места и не то население. А девушка очень собой хороша, могла приглянуться любому маньяку, хотя здесь, в Немчиновке, их не бывало, но, может быть, и появился маньяк, а эта красавица — первая жертва.

Но он-то ее тоже видел шестого! Живую, обтянутую пестрой тканью и с велосипедом. Он шел по тропинке, она шла навстречу, они поравнялись, и он прошел мимо. Потом обернулся. Она улыбнулась. Сначала небрежно, второй раз — сочувственно. Наверное, все поняла: что за мысли его стали мучить. И ведь не ушла! А выпрямилась и подставила взгляду свое худощавое легкое тело с прерывисто дышащей маленькой грудью, свой впалый живот, на котором ромашки ее очень тесного, узкого платья казались живыми: их словно сорвали и просто нашили на пеструю ткань.

Скажи он тогда: *можно вас проводить?* Она бы, конечно, сказала: *да, можно.*

И он проводил бы ее, и она была бы жива. Он во всем виноват! Он сам и его эти грязные мысли. Маньяк, если он и убил ее, разве посмел подойти, будь с ней рядом Алеша? Какому преступнику нужен свидетель?

Дома, на даче, говорили только об этом. Оказывается, уже приходил милиционер, пока Алеша стоял в очереди за молоком. Показывал фотографию — очень хорошенькая, куколка! — и выспрашивал, не попадалась ли им эта женщина. Сонька уверяла, что если бы попалась, она бы точно запомнила, потому что лицо на фотографии было как у Марины Влади, только еще красивее. Бабушка задала милиционеру прямой вопрос: не думает ли он, что в пропаже блондинки могли быть замешаны эти цыгане?

— А мы их опросим. Цыгане ж — не это... Ну, не по мокрухе, а по воровству. Однако опросим. От нас не уйдут.

И он почесал в круглом сером затылке.

После обеда бабушка рухнула на гамак с мигренью, а Сонька с Амалией чистили вишни.

— Алешу нельзя никуда отпускать, — шептала Амалия. — Пусть дома сидит. Пусть книжки читает. Не те времена, чтобы просто гулять!

— Алеша не девочка, что ему сделают? — И Сонька рукою в вишневой крови поправила мелкие, редкие кудри. — За девочку страшно. Не дай, не дай Бог!

— Сама же сказала, что твой Растропович... — Амалия стала краснее, чем вишни. — Мне Зоя потом объяснила, в чем дело. А я, знаешь, сразу-то не поняла! Какие ужасные, гадкие вещи!

— Спасибо скажи, что живем не в Америке. У нас, слава богу, семья как семья... Венчаются люди, детей своих крестят... А там, говорят, у них толпы *таких*... И целые им города понастроили. Чуть что не по-ихнему, сразу парад. Идут без трусов по Нью-Йорку, бастуют! Плакаты несут! «Почему президент не может быть тоже из *наших*?» Вот так вот. Уже, говорят, будут скоро рожать! Возьмут наклонируют им ребятишек! И слова не скажет никто поперек. А ты говоришь: «Теодор Растропович»! Так что Теодор? Был мужик как мужик. А этот кудрявый пришел, все испортил. Ведь я объяснила тебе, это черт. Нечистую силу к нему подослали.

Алеша поставил бидон на крыльцо.

— Алеша! Куда ты? — спросила Амалия.

— К цыганам, — ответил он. — Я ненадолго.

Укрывшись в ветвях многолетнего дуба, внутри которого Алеша уловил гулкое постукивание, словно и у дерева билось сердце, он смотрел на то, как табор, вспугнутый, нищий, растерзанный табор готовится в путь. Вся яркая их и свободная жизнь вдруг преобразилась. Цыгане гасили остатки костров, землей засыпали горячие угли, и дети искали картошку в золе. Девочка, за которой Алеша наблюдал, когда она, голая, только родившая, купалась в реке, теперь уже с крошечным темным младенцем, привязанным на спину, в длинной рубашке, с запавшими, злыми глазами, сидела поодаль, давила соски худыми подвижными пальцами.

По быстрым и нервным движеньям людей Алеша увидел, что им не терпелось скорее уйти. Но уйти им не дали. Подъехала милицейская машина, и двое милиционеров твердым шагом подошли к только что потушенному костру. Цыгане окружили их.

— Никому никуда не отходить! — предупредил один из милиционеров и откашлялся. — Вопросы имеются.

Люди угрюмо, исподлобья смотрели на них и не двигались с места. Былая развязность куда-то исчезла.

— Пропала вот женщина, — сказал второй милиционер и вынул из кармана фотографию Лины Забелиной. — Следы к вам ведут. Разбираться придется.

Цыгане молчали.

— Эту женщину последний раз видели на перроне неделю назад. В среду. Вошла в электричку, как нам сообщили. Вопрос мой такой: кто из вас был на станции?

Высокий и гибкий цыган высокомерно вскинул голову на тонкой шее с большим и острым кадыком, оглянулся на своих и сделал шаг вперед.

— Ну, я был, начальник.

— Фамилия? Имя?

— Гасан Иванов.

— Что ты делал на перроне в среду утром?

— Я поезда ждал.

— Зачем тебе поезд?

— Я ехал родных навестить.

— Каких? Где они проживают?

— В Отрадном. Там тетка живет, сестра моей матери.

— Заметили вы эту женщину? — И милиционер поднес прямо к глазам Иванова фотографию пропавшей.

— Нет, я не заметил, начальник, — испуганно-мрачно ответил Гасан и сплюнул в золу.

— Что мозги нам крутишь! — взорвался начальник. — Вас видели вместе! Ты с ней говорил! И вместе в вагон с ней зашел!

— Ну, зашел. Я что, всех в вагоне запомнил, начальник? Спросил у нее, когда поезд придет. И все. Вот и весь разговор. И вышел в Отрадном.

— Ты с ней говорил минут пять! Отвечай!

— Инкэр тыри чиб палэ данда, морэ![1] — сказал вдруг старик в ярко-синей рубахе. — На йав дылыно![2]

— А ты куда лезешь! Смотри у меня! — Милиционер оттолкнул старика и вновь подступил к Иванову. — Поедешь в милицию, дашь показания. А то здесь советчиков слишком уж много! Вам всем оставаться на месте! Пошли!

Гасан Иванов — голова на тонкой шее высокомерно закинута — сам сделал шаг в сторону милицейской машины, как будто готовый к тому, чтобы ехать, и вдруг побежал через луг к перелеску.

— Куда? Стой! Стреляю!

Милиционеры бросились следом за ним, выхватывая из кобуры пистолеты. Цыган несся стрелой. Алеша ни разу не видел, чтоб люди бе-

---

[1] Держи язык за зубами! (*цыг.*)

[2] Не будь дураком! (*цыг.*)

жали так быстро. И вдруг он упал. Трава стала красной. Потом завопили все женщины сразу, и табор рванулся к упавшему. Расталкивая людей, милиционеры наклонились над ним, а тот, кто стрелял, упал на колени и начал нащупывать пульс. Длинный, с раскинутыми по траве руками и ногами, с уже ярко-белым лицом человек, который вот только минуту назад дышал, говорил и был частью всего: и леса, и луга, и голых детей, испачканных серой золою, и света, лежащего грозно на серой золе, — *не существовал.* А то, что лежало на этой траве и чья уже тусклая, красная кровь остыла быстрее, чем стынет вода в невзрачной Чагинке, пугало своей неподвижностью.

Словами не передать, как подавлены были все отдыхающие и сколько нелепых догадок и слухов ползло по Немчиновке. Во-первых, выяснились подробности жизни пропавшей без вести женщины: Лина Забелина. Возраст: двадцать лет. Студентка консерватории. Отец — Забелин Виктор Афанасьевич, преподаватель на кафедре теории музыки, мать — Забелина Ольга Андреевна, в прошлом балерина, сейчас домохозяйка. Снимают здесь дачу четвертое лето, ни с кем не общаются. В апреле их дочь вышла замуж, но летом уже развелась. В знакомствах была неразборчива крайне, могла и к цыганам подсесть в электричке. Предельно открыта и очень кокетлива.

С собаками шарили денно и нощно, посадки молоденьких пихт затоптали, искали, куда закопали убитую. Но тела нигде не нашли. Цыган сразу после убийства Гасана, который действительно ездил к родне, пришлось отпустить. Табор ночью ушел, остались зола от костров и, поскольку дождя еще не было, бурые пятна на ярко-зеленой траве: кровь тоже не сразу уходит под землю, не хочет быть быстро забытой людьми.

Стояло прекрасное жаркое лето, вокруг все цвело, все звенело, а ночью томление было разлито, туман серебристый стоял над лугами, пропахшими клевером, звезды дрожали, — казалось, живи, наслаждайся, пари! Но люди в Немчиновке рано ложились, в пинг-понг не играли, ночами все окна держали закрытыми. И спали хоть голыми от духоты, зато в безопасности. Напомнили им, как печально все в мире, и как ненадежно, и как безотрадно. И дело не в том, что кто-то взятки берет, не в возрасте даже, не в беззаконье, не в воспалившихся гландах. Взяточничество можно и не замечать, как возраст и как беззаконье, а гланды — пойдите, и вырежут вам эти гланды, не будет у вас ни ангины, ни гриппа.

Так в чем тогда дело? А в том, что не властны мы ни над погодой, ни над природой, и жизнь нас бросает, как лодку без весел, и, что значит «смерть», остается загадкой.

В пятницу, как всегда, приехал Саша. Бабушка накрасила рот темной помадой, отчего зубы ее стали казаться ослепительно-белыми.

За обедом обсуждали страшные новости Немчиновки.

— Ну, просто как канула в воду! Исчезла бесследно! — сказала Амалия.

— Это бывает, — кивнул грустно Саша.

Алеша слегка побледнел:

— Как бывает?

— Замечены с древности разные случаи. Идет вот прохожий, и вдруг он исчез. И где он?

— И где он? — спросила Амалия.

— А кто его знает? И вот этот самый Бермудский... Там тоже.

— Ох! — вскрикнула Сонька. — И не говори! Чтоб я полетела над этим Бермудским? Да озолотите!

Не допив чая, Алеша выскочил из-за стола и побежал к развилке. Вот здесь он увидел ее. Она шла навстречу ему вместе с велосипедом. Он стал восстанавливать — неторопливо, с внезапною нежностью к каждой детали — их эту короткую, странную встречу. Девица была очень худой, и ключицы ее розовели. Лица он тогда не запомнил от страха. Запомнил ресницы и белые волосы. Теперь говорят, что красавица. Может быть. Но это не важно, а важно другое. Он чуть не застонал от нахлынувших на него острых и безжалостных подробностей, каждая из которых служила доказательством только одного: она была *жива* тогда, она была *здесь*. Он вспомнил, как быстро и глубоко она дышала, и от жары маленькая грудь ее была, наверное, огненно-горячей. Белые волосы колечками прилипли ко лбу. Сначала она улыбнулась небрежно, потом дружелюбно, немного насмешливо. Ромашки на платье цвели, как живые. Он вспомнил, как она с облегчением прислонила к дереву надоевший ей тяжелый велосипед и вытерла потную ладонь о ствол. Потом выпрямилась, усмехнулась, заметив его жадный взгляд. И тут, кажется, он убежал. Но сразу же и обернулся — ее уже не было. Вон рыщут с собаками в темных оврагах! Когда-нибудь, может, найдут. А лучше бы и не искали. Невольно он вообразил, *что* найдут. Его затошнило.

Он вспомнил, как мать угрожает отцу:

— Не бросишь проклятое пьянство — сгниешь!

И как ей отец отвечает:

— Конечно. Но все мы сгнием, дорогая моя.

Глава третья

ЖИЗНЬ

Через две недели вернулись с гастролей родители, и в тот же день, только ближе к вечеру, Саша сообщил бабушке, что жене его стало лучше и у него появилась возможность забрать ее из клиники. Родители приехали после завтрака и сразу же завалились спать наверху, на открытом балконе, где всегда лежала охапка свежего сена, потому что отец Алеши любил этот запах и говорил, что он действует на него лучше снотворного. Они долго спали, почти до пяти. Бабушка, Сонька и Амалия возились на кухне с обедом, и тут появился на дорожке Саша с помятым дрожащим лицом, потребовал бабушку в сад и сказал ей, что больше сюда никогда не приедет, такие теперь у него обстоятельства.У бабушки подкосились ноги, и она прислонилась спиною к стволу засохшей давно, но еще живописной, антоновской яблони.

Бабушка стала любовницей Саши двадцать лет назад, когда ей исполнилось сорок и она внезапно овдовела, похоронила мужа, утонувшего на Финском заливе от разрыва сердца, и Саша, женатый человек, старый друг семьи, начал приходить к ней по утрам, до работы, держал ее за руки и успокаивал, а кончилось страстью, изменой, постелью. Не было и речи о том, чтобы он ушел из семьи, оставил жену с очень сложным характером, который казался всем славным, веселым, и только один Саша знал, какие бывали тяжелые дни у этой пригожей, немного сутулой, с притворной улыбкою Елизаветы, как дико она ревновала его, следила, куда он пошел, кто ему позвонил, а если они появлялись на людях, всегда прижималась к нему, словно длится и вечно продлится медовый их месяц. Пылкий и нервный роман с Алешиной бабушкой не только не отдалил Сашу от жены, но, как это бывает у слабохарактерных и очень чувственных мужчин, добавил как будто какого-то перца в его ежедневную скучную жизнь. Жена его Лиза, почувствовав что-то, вдруг стала его соблазнять, как чужого, по всей Москве рыскала, чтобы достать особенно уж кружевное белье, при этом душилась такими духами, что Саша почти задыхался с ней рядом.

И так это все затянулось на годы. Да что там на годы! Десятилетия. Пока обе женщины вдруг не достигли предельно опасного женского возраста, и Лизин рассудок, не выдержав, слегка пошатнулся. Сначала она тосковала и плакала, потом перестала почти спать ночами, потом стала вдруг пропадать, и надолго, домой возвращалась смущенной, веселой и вдруг очень хитрым и ласковым голосом сказала, что к лету ждет двойню. Вот с тем и пришлось поместить ее в клинику.

Для Лешиной бабушки настали непростые времена: Саша начал упрекать себя в болезни жены, перепугался, решив, что виною всему их роман, и вдруг попросил передышки.

— Я так не могу больше жить! На два дома!

— Ну, если один из домов — сумасшедший, действительно трудно, — заметила бабушка Зоя.

Саша стиснул зубы, боясь ей ответить такою же грубостью, и тут же ушел. Лизино заболевание стало камнем преткновения. Бабушка категорически отказывалась признать, что в Лизином долготерпении было, наверное, мужество, сила характера, не только расчет и не одна только хитрость. А может быть, даже привязанность к Саше, которому Лиза, детей не имевшая, прощала, как детям прощают родители. Сам Саша, как только она оказалась в такого неловкого профиля клинике, сказал, что не станет ее обсуждать и сделает все, чтобы Лиза вернулась.

На это уж бабушка хлопнула дверью и крикнула резким учительским голосом:

— Сотри телефон мой и имя забудь!

Любовники очень скандально расстались, и бабушка долго лежала в постели, не ела и стала похожей на тень. А мама как будто воодушевилась, готовила бабушке манную кашу с густым и противным сиропом шиповника и все говорила:

— Да плюнь на него! Вы столько лет жили, — он даже колечка, простого колечка ведь не подарил!

А бабушка, приподнимаясь в подушках и кашляя так, что дрожали все стекла, хрипела:

— При чем здесь колечко?

В конце концов Саша опомнился. Уж больно давило на психику место, где Лиза, жена, с провалившимся взглядом, встречала его то враждебно, то грустно, просилась домой, объяснялась в любви, потом вдруг опять становилась разумной и все беспокоилась, чем он питается. Пребывание в клинике, где няньки отличались грубостью и дурными манерами, а врачи ходили как будто немножко всегда под хмельком, не пошло на пользу Лизиной внешности, и, попавши туда вполне еще привлекательной женщиной с густыми каштановыми волосами, она побледнела, согнулась, поблекла, покрылась морщинками, как паутиной, и даже походка ее изменилась: теперь она двигалась криво и быстро, как будто все время следила за кем-то.

Не выдержав, Саша вернулся к любовнице. Бабушка долго его к себе не подпускала, грубила ему в телефон, наврала, что встретила консерваторского друга, который недавно развелся и очень теперь пристает. Но все же они помирились. Бабушка так устала за время разлуки, что дала себе слово не заикаться о Лизе, не мучить его и не дергать, а просто вот так день за днем проживать и радоваться, что звонит, и встречает, и в губы целует, как прежде, со стоном. Теперь уже не было необходимости искать себе временных разных пристанищ, поскольку квартира, где Саша жил с Лизой, была совершенно пуста и свободна. Стояли духи потерявшей рассудок и больше в духах не нуждавшейся Лизы, висели ее заграничные кофточки, ее пиджачки, ее шарфики, юбочки, и бабушка только однажды, не выдержав, пока простодушный и ласковый Саша плескался под душем, взяла эти юбочки и всем задрала подолы и повесила в другое совсем отделение шкафа.

Любовь с Сашей снова взялась за свое, как будто стремясь наверстать молодое, и стала особенно горькой и бурной, поскольку теперь они оба стояли под низким покровом иных обстоятельств: помрет в желтом доме страдалица Лиза, а может, и Саша не выдержит, рухнет, а может, и бабушка выйдет на кухню, ну, даже вот чайник поставить, и вскрикнет, сожмет свое грустное сердце руками, а дальше — сирена, огни и носилки. Короче: любить надо вовремя. В двадцать. Ну, или в тридцать — на полную мощь. А там уже — возраст, неврозы, сосуды, и соли нельзя, да и сахара тоже.

Два года продлилась вся эта идиллия. И вдруг он, приехав на дачу, сказал, что нужно *расстаться*. Что Лиза здорова: прошла экспертизу. Все помнит, читает газеты и книги, и был в желтом доме недавно турнир по шашкам: она победила в турнире. Отец Непифодий ему объяснил:

— В душевных недугах — одна Божья воля. Господь возвращает рассудок не часто. Лекарствами в этих делах не поможешь.

А надо сказать, что Саша недавно нашел своего одноклассника Валю, вернее, Валеру, отца Непифодия, который, оставив Второй медицинский и переучившись в духовное звание, служил в селе Вездебродье на Клязьме, и Саше был рад и с большою готовностью всем Сашиным перипетиям старался придать высший смысл. И ему удавалось.

Прежде Саша был очень хорош собою, и девушки останавливались, увидев вдруг человека, как две капли воды похожего на знаменитого разведчика Штирлица, увековеченного игрою не менее знаменитого артиста Тихонова. Отличие было в бородке. И Штирлиц, и Тихонов брились, а Саша носил много лет небольшую и мягкую, как и душа его, бороду. Бабушка, как ни странно, тоже напоминала актрису, но нисколько не русскую, хотя среди них попадались красивые, а неповторимую итальянку Софи Лорен. И если кому-то хотелось понять, как выглядят не на экране, а в жизни глаза эти, с серым внутри, влажным дымом, то незачем было кататься в Италию — идите в Леонтьевский и посмотрите. Сейчас, разумеется, бабушка с Сашей слегка потускнели, но чувство любви, а проще сказать, несдающейся страсти, по-прежнему их молодило и красило.

На даче же, куда Саша приехал не как положено, в пятницу, а во вторник с утра, произошло следующее. Встретив любовника у ка-

литки, бабушка вся порозовела и хотела было
сразу накормить его только что выпеченными
на огромной чугунной сковородке рыбными
котлетами, но Саша дрожащим, кривящимся
ртом отверг предложение: ему-де сейчас не до
котлет. И тут же бабахнул нелепую новость, зачем-то еще приплетя и подробности с лишним
для дела турниром по шашкам. Прижавшись
спиною к засохшему дереву и оборотив на любовника слезы, мгновенно залившие дым ее
глаз, бабушка поначалу так растерялась, что
стала его малодушно просить: ну, пусть совсем
изредка, ну, хоть раз в неделю, в деревне, в глу-
ши, чтобы только увидеться, но Саша, как правило миролюбивый, сказал, что расстанемся,
мол, по-хорошему. Валера, вернее, отец Непифодий, его убедил, что любовь — это главное,
однако не та вот любовь, от которой родной человек может стать ненормальным, как это случилось с безропотной Лизой, а та, что поможет
тебе возродиться, наследовать вечную жизнь и
так далее. Такою любовью он сможет любить
одну только Лизу, уже некрасивую, в разно-
шенных тапочках, ибо в больнице включалось
в режим очень много ходить. (А если залечь на
кровать и лежать, то можно дойти и до само-
убийства.) Поэтому обувь вся так и сносилась.
Все тем же дрожащим сквозь перья бородки,
кривящимся ртом Саша твердо сказал, что слух
свой отныне замкнул изнутри и доводов ба-

бушки больше не слышит, и будет стоять на своем, а иначе вся эта проклятая ложь целой жизни проглотит его, и пожрет, и ни камня на нем не оставит. И тут же ушел и не оглянулся. А бабушка, плача, смотрела вослед, пока он не скрылся внутри перелеска — слегка мешковатый, прелестный, любимый — до боли, до крика — запретной любовью, которой противится бывший Валера, а ныне отец Непифодий на Клязьме.

Когда пахнущие сеном и румяные от долгого сна на свежем воздухе спустились на террасу родители, то бабушка встретила их ледяным молчанием, никакого отчета по поводу отдыха внука Алеши на даче предъявить не смогла, а бросила лишь, что здесь убивают, воруют и слишком уж много цыган. Родители переглянулись.

— Поедем в Москву? Тебе скучно, наверное? — спросила испуганно мама.

— А Яншин? — спросил ее сын. — Без него не поеду.

Они взяли Яншина. Он обслюнявил отцу подбородок, и шею, и плечи, поскольку не переносил электричек.

Это были самые странные две недели в Алешиной жизни. Если бы он был поэтом, хотя бы таким, каким был, скажем, Лермонтов, то он бы легко себя вообразил каким-нибудь там кораблем, белым парусом, который заплыл в очень тихую бухту и смотрит оттуда на грозное море. Ему-то не страшно пока в этой бухте. О, что будет с теми, кто в море открытом на утлых плотах, на суденышках чахлых старается выжить среди бурных волн? За это время он почувствовал, что, хотя и пережил уже довольно много, но эти его переживания не идут ни в какое сравнение с тем, что предстоит в будущем, и нужно готовиться к этому, тренироваться, как люди, которые с раннего детства торчат во спортзалах, а после всю зиму по страшным морозам гуляют без шапок. Вот таким, с характером. Не позволять себе ни слабинки, ни трещинки в сердце и, главное, всех избегать откровений.

Надо сказать, что злопамятная, хотя и щедрая Сонька еще года три назад буркнула маме, что Алеша напоминает ей одного юношу, которого Сонька, совсем молодая, узнала ближайшим, интимнейшим образом, но он как-то странно тогда увернулся, семьи с ней не создал, куда-то уехал, и след его так и растаял на этой затоптанной до безобразья земле. Сходство неизвестного юноши с Алешей, обнаруженное наблюдательной женщиной, заключалось в том, что оба они старались как можно глубже запрятать все, что происходило внутри их весьма одиноких сердец, поскольку им гордость мешала открыться, и эта привычка всегда оставаться вдали ото всех и стоять в стороне, слегка усмехаясь от собственных мыслей, могла привести, как заметила Сонька, к какому-то даже почти вырожденью. На мамин вопрос, почему вырожденью, неумная Сонька сказала, что если всю жизнь так таиться, то ты, безусловно, закроешь каналы к источнику счастья, душевно прокиснешь и быстро состаришься.

Отец начал опять репетировать, опять загуляла прелестная Юна, опять режиссер их театра под утро от ревности чуть не зарезал жену, опять заструились дожди над Москвою, размыли узоры цветов в летних парках, а на ВДНХ на центральной площадке открылась чудесная выставка «Осень», где можно прийти и попробовать было сто двадцать сортов очень вкусного меда. Мама, отдыхая от бабушки с ее страстями и настроениями, готовила обеды, делала отцу на завтрак овощные соки, следила за тем, что Алеша читает, лечила упрямого, вздорного Яншина, которого в кровь расцарапала кошка, размером едва ли не больше, чем Яншин. Короче: у мамы до начала учебного года забот было невпроворот, и пусть ей хотелось побольше участвовать в жизни Алеши, но времени на это совсем, к сожалению, не было.

Ошибки родителей, их заблуждения. Они нарождаются вместе с младенцем, и в этот момент, когда врач или даже простая курносая бабка в деревне одним очень ловким и быстрым движеньем отрежет дитя от измученной матери, и этот младенец с молочными глазками и страхом в своих, совсем мелких чертах начнет вдруг орать, заявлять о себе, — вот в этот момент и приходят ошибки. Ведь нету же ближе тебе, новорожденный, а также тебе, ему жизнь подарившей, на целой земле никого, чем вы оба — друг другу. Смотрите: одна на вас кровь подсыхает. Однако же, как ни проста эта истина, ни дети, куда-то всегда устремленные, ни их родители, сразу уставшие, ее до сих пор ни на йоту не поняли. Отрезали, значит, младенчика вашего? Ну, все. Будь здоров. Торопись в свою жизнь. А вы, дорогая мамаша, в свою. Ведь вот как устроено. Грустно? Да, грустно.

Иногда Алеше до смерти хотелось поговорить с отцом, но, кроме этого смутного, раздражающего его желания, он не представлял себе, как и о чем они будут разговаривать. Ему казалось, что отец словно бы стесняется его, потому что в трезвом своем состоянии он остро помнит, что совсем недавно пришел опять пьяным и снова был жуткий скандал, и Алеша, притихший в своей очень маленькой комнате, конечно же, слышал их крики. Алеша был очень похож на отца и мнительностью, и гордыней, и скрытностью, но, видимо, эти черты и вели отца к алкоголю: он прятался, он убегал от себя. Странно, что мать не понимала этого и отцовское пьянство приписывала работе, женщинам, театральным склокам, от которых он лез на стену. В голову ее не приходили самые простые вещи, которые понял Алеша: отец не справляется, он надорван. Поэтому пьет. Другие не пьют, потому что их психика устроена как-то иначе, они осмотрительней, больше боятся за жизнь, меньше любят себя. Отец его, будучи трезвым, себя самого стеснялся, а может быть, и презирал. Но, выпивши, он становился терпимее, а главное, веселее. Женщины, о которых постоянно твердила мать, пугали Алешу гораздо сильнее, чем отцовское вечное пьянство. Пьяный отец был виноватым и беспомощным, а грешный отец, тот отец, от кого томительно пахло чужими духами, был даже опасен, как если бы, скажем, в семье их жил тигр, ручной и домашний, но кто его знает? Мог и впасть в ярость. И прыгнуть на грудь, и вцепиться зубами в лицо или в горло. Вот несколько раз и отец становился подобным такому домашнему тигру.

Квартира была небольшой, и поэтому, даже если родители старались, чтобы ни Алеша, ни бабушка не разобрали того, что они в запальчивости выбрасывали в лицо друг другу (а это все происходило ночами!), их сдавленный шепот был слышен отчетливо, секреты в их доме почти не держались.

...он был в седьмом классе. Царила весна. Царила! Какое прекрасное слово — ведь время и вправду царит над людьми. Вот осень с листвою, с их смертной истомой, их медленной гибелью, кротким страданьем, которое с целью, нам всем неизвестной, настолько красиво, что хочется плакать. Кто скажет, что это страданье природы и эта ее красота, от которой, бывает, плывет все в глазах, все плывет, — кто скажет, что он ничего не заметил, что вся красота эта мимо прошла, оставив его безразличным и вялым? А лето с его ослепительным зноем, с букашкой, увязшей в цветочке, с пичужкой, какая внимательным, желтеньким глазом глядит на тебя из травы? Вдруг встретишься взглядом с таким вот птенцом, вдруг вздрогнешь от солнца, упавшего прямо на руку твою, или грудь, или шею, и станет намного светлее на сердце.

Весна же имеет особые свойства. В московских кустах просыпаются бесы. Их можно всерьез даже не принимать. Когда был мороз, эти бесы дрожали то в виде сосулек, то в виде комочков слегка подсиненного сумраком снега, а как потянуло весной, они тотчас проснулись и точат о лавки свои коготки, щурят красные глазки и сразу бросаются к людям: играть! Их тоже, конечно же, можно понять: всю зиму вот так продрожать на бульварах! И люди становятся нервными, злыми, зачем-то сжигают умершие листья, и шапки теряют в метро, и перчатки, друг другу звонят по ночам, покупают на рынке взлохмаченных рыб в мутной банке, пузатых, кефиром пропахших щенков, которых потом дрессируют и учат, хотя этих звонких, пузатых щенков с рожденья всему научила природа. Да, скучно и грустно, ох, скучно и грустно, и хочется смертным того, что нельзя им, того, что они и в глаза не видали, а бесы смеются над их простотою.

Итак, Алеша заканчивал седьмой класс, страдалицу Лизу забрали в больницу к таким же, как Лиза, бессонным страдалицам, а папа Алеши, актер знаменитый, внезапно влюбился. В кого он влюбился, осталось загадкой. Но мама тотчас же почуяла запах — преступный, загадочный запах любви, хоть папа и был исключительно чистым, всегда долго мылся, душился и брился, поскольку театр устроен непросто: не только талантом берет человек, но очень важны соблюдения правил. И прежде всего гигиены, конечно. А то там такая начнется зараза! Ведь это же Средневековье — театр! И нравы, как в Средневековье, и страсти. Мама угадала о переменах в папиной жизни оттого, что он вдруг бросил пить. Причем бросил сразу, чем всех напугал. Не только семью, но всех жителей дома, в котором ютилось немало актеров, актрис и подростков — актерских детишек, давно, прямо с детства, весьма сильно пьющих. И сразу на папу нахлынули заработки. То радио, то телевизор, то утренник. Возможность слегка подработать случалась, но только он прежде ее отметал, хотя деньги были нужны позарез, а тут вдруг решил, что не грех похалтурить, и сразу появятся лишние средства, и можно тогда будет летом отправить Алешу и бабушку в город Пицунду. Но вот из-за этих халтур — то радио, то телевизор, то утренник — у мамы пропала возможность следить за перемещеньями мужа по городу, она как-то вдруг потерялась и сникла, не знала, куда позвонить, как проверить, хоть пить он — не пил, денег стало хватать, и, если бы не было этого счастья и блеска в глазах его, мама, конечно, жила бы в неведении.

Посреди ночи Алеша услышал, что родители шепчутся.

— Отпусти меня, — бормотал отец. И голос его был не пьяным, но страшным. — Я чувствую, что это будет недолго! Но дай мне пожить! Я тебя умоляю.

— Ты болен! Ты слышишь себя? Я утром звонить буду доктору, сейчас позвоню! Что мне ждать до утра?

Их шепот так прыгал, как будто во рту у каждого было по скользкой монетке.

— Здоров, не волнуйся! Уйду все равно! Я думал тебе обьяснить, думал даже, что ты меня, может, поймешь... Столько лет мы вместе промучились. Я умоляю...

— Подонок! Ты просто подонок и сволочь! Ты хочешь, чтоб я отпустила тебя? Сейчас вот тебе собрала чемодан? Иди, мой хороший, иди, наслаждайся! А что я Алеше-то завтра скажу? Что папа ушел к своей девке, что папа...

— Но ты же сама говорила всегда: «Скажи мне, когда ты кого-то полюбишь, не стану держать и пойму». Чьи слова?

— Чтоб ты и «полюбишь»? Кого ты полюбишь! Ты сына родного не смог полюбить!

— Я сына люблю. А вот ты... Ты не помнишь, что было, пока этот сын не родился? Что ты вытворяла тогда, ты не помнишь?

— Что *я* вытворяла? Что *ты* вытворял!

— *Я* хину пил?

— Хину?

— Хину! Тебе ведь сказали, что хина поможет! Что хина способствует кровотеченью, и ты сразу выкинешь! Ты *пила* хину! Тебя тогда чудом спасли, идиотку! А помнишь, как врач этот здесь, на Арбате, сказал, чтобы мы с тобой Богу молились, поскольку *он* может родиться кретином! А может быть, просто глухим и слепым!

Потом была пауза. Долгая пауза.

— Постой! Я пила тогда хину, я помню. Но ты ведь твердил, что не хочешь ребенка! Ведь ты же... Ведь ты... Проклинаю тебя! За все, что ты сделал со мной! За то, что в течение всех этих лет... И ты еще смеешь меня упрекать! Что *я* пила хину!

— Я завтра уйду.

— Не завтра! Сегодня! Сейчас! Я сейчас же скажу им, что ты нас бросаешь! Иди!

Что-то упало на пол с таким грохотом, что по коридору тут же зацокали бабушкины домашние туфли без задников с железными набойками. Она, разумеется, тоже все слышала.

— Сейчас я милицию вызову! Хватит! Идите немедленно спать! Ненормальные! Хотите расстаться — расстаньтесь как люди! Ребенок и так комок нервов! — И бабушкин голос сорвался.

Потом стало тихо. И только вода зажурчала по кранам, как будто жила на свободе и тоже хотела подать робкий голос: весна ведь, а воды весною — во всем мире воды — стремятся журчать, разливаться и петь.

Отец никуда не ушел, а халтуры закончились сразу, как будто и не было.

Недели три или даже больше родители не смотрели друг на друга, однако обедали вместе и спали по-прежнему вместе, на общей кровати. Потом отец страшно запил. И мать успокоилась. Значит, остался.

Оно проросло в глубину его мозга. Он стал психопатом, уродом, калекой. Утром, едва открывши глаза, он вспоминал, что родители не хотели, чтобы он был, и мама его убивала. Алеша зажмуривался и прятал голову под подушку. Для того чтобы продолжать делать самые простые вещи, то есть встать с постели, умыться, одеться, позавтракать, ему нужно будет напрячь силы, а прежде он их даже не замечал.

Колька Нефедов, он знал его еще с детского сада, как раз переехал на Новый Арбат. Этаж подходил — двадцать третий. У Кольки была своя комната. Он стал приходить к нему в гости. Стоял у окна и смотрел вниз, на улицу. Внизу были люди, до ужаса мелкие, внизу была жизнь, тоже глупая, мелкая, она суетилась, спешила куда-то, а дети все были глухими, слепыми, и он должен был быть таким, как они. А если вот выпрыгнуть и умереть, то будет так, словно он и не рождался. Сесть на подоконник и соскользнуть вниз. И боли не будет. Раз, два и готово.

Он свешивал голову, перегибался. В глубине живота поднималась волна кислой рвоты, голова начинала кружиться. Он видел себя самого на асфальте. Кровавое месиво. Люди вокруг. И все суетятся, вопят и кричат. Потом унесут его, вымоют улицу, посыплют песком, и толпа разойдется.

И все это мучило долго. Не меньше чем месяц, а может, и два. Потом затянулось, но не до конца. Теперь он уже не любил свою маму. Вернее, не то чтобы он *не* любил, она вызывала в нем странное чувство. Как будто бы в ней, заботливой, милой, к тому же красивой — да, очень красивой, — осталась крупица Алеши-

64

ной смерти. Соринка, размером с бесцветную моль.

Никто не удивлял его так сильно, как собственные родители. Когда они скандалили и грозили друг другу разводом, он чувствовал себя даже спокойнее, во всяком случае, привычнее, но вот когда они начинали любить друг друга, ему становилось неловко и странно. За этой любовью, как за неподвижным, застывшим травинкою каждой, безмолвным и вроде бы ясным, но слишком уж душным и слишком уж четким во всех очертаньях простым летним утром, обычно приходит гроза — да такая, что сразу смывает с лица всей природы старательную безмятежность ее, — вот так и за этой внезапной любовью должна была снова прийти волна новых скандалов, и слез, и бессонной тревоги.

Весною прошлого года мать вдруг начала кашлять сухим изнурительным кашлем, ее послали на просвечивание, и результат должны были сообщить через несколько дней. Ночью Алеше захотелось пить, он встал и пошел на кухню. Дверь в родительскую комнату была приоткрыта, родители его шептались в темноте.

— Вот так обними, — шелестел голос матери. — Теперь я как в домике. В домике, да? Держи только крепко. И не выпускай.

— Не бойся. Ты в домике. Все хорошо, — шептал ей отец сырым голосом. — Что ты? Да нет же с тобой ничего. Ты ведь в домике.

Потом он услышал дыхание матери — как будто она с каждым вдохом стремилась вобрать в себя то, что он ей говорит.

— И нету дороже тебя никого. Тебя и Алешки. И не сомневайся. Родная моя, моя девочка бедная! Давай вот я так обниму, ляг поближе. Ногтя твоего я не стою...

— Молчи! — и мать осторожно заплакала. — Когда это все обойдется... Скажи, обойдется? Не может ведь быть, чтобы я умерла? Ну, как я оставлю вас? Что с вами будет?

Отец простонал, но сейчас же опомнился.

— С тобой — ничего, ну, поверь мне, родная! С тобою и нет ничего, и не будет! С тобой только я, негодяй, старый пьяница!

— Подумай ведь только! — перебила его мать и закашлялась. Алеша почувствовал, что отец изо всех сил прижал ее к себе. — Подожди. Так слишком мне жарко. Дай я отдышусь. Сейчас я откашляюсь. Вот. Уже легче.

— Водички тебе принести?

— Нет, не надо. Подумай ведь только, как я тебя мучаю, а мне — только ты, только вместе... — И снова закашлялась.

— Сейчас я водички... Тут воздух сухой... поэтому кашляешь...

— Воздух как воздух. Держи меня крепче.

И снова заплакала.

Через несколько дней диагноз, которого они боялись, не подтвердился, и жизнь пошла прежняя.

Глава четвертая

ЛЮБОВЬ

Бабушка не хотела возвращаться с дачи, хотя с первых чисел сентября начались заморозки, и трава в саду, зеленая вечером, утром оказывалась нежно-серебристого цвета, как волосы внезапно испугавшегося во сне и тут же поседевшего человека. Амалия вернулась в Питер, Сонька перебралась в Москву. Бабушка топила печь в большой комнате, ходила за грибами — лес весь трепетал от дождя, дачи опустели, и в лесу скитались с большими корзинами поселковые, угрюмые и ноздреватые люди, которые, встретившись с нею, смотрели волками. Грибов было мало. Бабушка упорно, часами бродила по этому лесу, словно вынашивала в себе верное отношение к жизни и словно это верное отношение вынашивалось именно так — в полном одиночестве, среди мелкого беспросветного дождя, от которого волосы ее становились тяжелыми и кудрявыми, а щеки румяными и молодыми.

В июле исполнилось ей шестьдесят, хотя никто на свете, увидев такой, какой она бродила по лесу, в высоких резиновых сапогах, с неподобранными волосами, не дал бы ей этого возраста, а дал бы на десять лет меньше, а то даже и на пятнадцать. Лицо ее часто как будто горело, хотя оставалось по-прежнему бледным, и свет изнутри был так ярок и молод, что людям (особенно людям наивным) казалось, что бабушку очень легко раскусить, поскольку душа ее как на ладони. Отчасти они были правы, отчасти.

А душа этой женщины не только на ладони, но и совсем нигде не умещалась, хотя она чувствовала ее очень сильно, и боль, какую она ощущала благодаря постоянному присутствию этой души, научила ее если и не хитрости, то, уж безусловно, выносливости характера. Мало того, что она осталась вдовой в сорок лет со строптивой, никто ей не указ, дочерью, мало того, что нужно было собрать все силы, чтобы поднять эту дочь на ноги, заставить ее закончить сначала музыкальную школу, потом консерваторию, но, кроме всего, что связано с дочерью, кроме работы в театральной студии плюс частные уроки фортепиано и скрипки, кроме размена квартиры, отнявшего несколько лет жизни, она жила с чувством, что не было ни дня, когда она ощущала себя свободной. История с Сашей парализовала ее. Нельзя было потратить на него целую жизнь — а она потратила, нельзя было ждать, что он в конце концов решится на то, чтобы уйти, — а она ждала, и не только ждала, но, понимая его бесхребетность, его эту жалкую, слишком мужскую и рабскую одновременно природу, она каждый раз извиняла его, расставшись навеки, опять возвращала и мысленно мстила затравленной Лизе, пока еще не потерявшей рассудок, хотя эта Лиза была лишь улиткой, забравшейся в темный и скользкий свой домик.

Один только раз захотелось ей вырваться. Подул неожиданно ветер свободы, и этот обман, эта тоже двойная, как и у него, эта тайная жизнь была ей как отпуск — больному шахтеру, как выход на свет из сухой черноты. Но несмотря на то, что человек, с которым она изменила Саше, готов был на все, она мигом остыла, замкнулась и в панике, что потеряла свою эту самую сладкую муку, а именно Сашу, жестоко рассталась с любившим ее человеком и долго ждала, чтобы Саша, суровый, весьма оскорбленный и вдруг даже ставший почти безучастным, к ней снова вернулся.

Слепой была эта любовь, да, слепой. Зоя заучила его назубок, умела по паузам быстро понять, чем он недоволен, по цвету лица всегда узнавала, что он нездоров, любила все родинки на его теле, а запах его еле слышного пота, в котором был привкус лимона, казался ей даже каким-то изысканным. Она от себя не скрывала нисколько, что эта зависимость их друг от друга держалась на том бесконечно счастливом физическом чувстве, связавшем их со дня первой встречи. Духовного в этом соединении, скорее всего, было очень немного. Но много животного, дикого, грубого, хотя, чтобы в этом преклонном их возрасте стремиться друг к другу не с целью согреться какой-нибудь умной и доброй беседой, а чтобы скорее улечься, прижаться и снова, как это бывает в природе, когда нарастает гроза в небосклоне и каждый листок отзывается дрожью, — да, снова, как это бывает в природе, почувствовать плоть своей собственной плотью, отдать до последнего, взять все, что можешь, и только когда все блаженно утихнет, как сад после жгучей грозы и как лес, закрывши глаза, рук и ног не разнявши, уплыть в ослепительно-черный, тяжелый, томящийся сон, где предметы, как лодки, качаются и чуть грохочут цепями.

Понятно, что Лиза рехнулась. Еще бы! Откуда же силы все это терпеть? Зоя, разумеется, подозревала, что Саша умудряется и *там,* то есть дома, разыгрывать комедию семейного благополучия, но интуиция подсказывала ей, что, даже и разыгрывая комедию, он все же не может достигнуть того, чего достигали они только вместе, а стало быть, Лиза, все время стараясь приблизиться с ним к той грозе, к той свободе, которую он где-то на стороне, а именно с Зоей, переживает, от этого и сорвалась, заболела и съехала в клинику для излечения.

И было два года почти безмятежных. Конечно же, он навещал Лизу в клинике. Носил ей компоты, медсестрам дарил то брошки, то бусы, то деньги, а нянькам совал в их гнилые карманы на выпивку. И вдруг эта Лиза ее победила. Причем победила своею болезнью. Бабушка ожидала, что такого осторожного человека, как Саша, может отпугнуть подобная история, поскольку он был всегда мнительным, очень любил щупать пульс и однажды проверил каким-то совсем новым способом сердце. Потом оказалось, что способ был пробным, больших стоил денег и не оправдал их. Но бабушка Сашу недооценила. Болезнь жены Лизы прожгла ему душу. Мало того, что каждый день после работы — а работал он на Ленинском проспекте в очень престижном научном институте — Саша ездил в сумасшедший дом кормить свою кралю обедом и там сидел долго и гладил ей спину, а если же им позволяла погода, водил ее в парк и отнюдь не скучал, но словно бы даже и перерождался, когда она вдруг улыбалась ему своею натянутой прежней улыбкой. Нет, мало того! Он еще и хотел, хотя бедной бабушке не признавался, забрать свою Лизу обратно домой. Она-то, любовница, втайне мечтала, чтоб Лизу лечили как можно подольше, а он собирался ей, что ли, *служить*, как это ему объяснял Непифодий.

Мелкий осенний дождь капал на бабушкино поднятое к небу лицо, и слезы, льющиеся из ее выпуклых итальянских глаз, внутри этих глаз тут же соединялись с простым русским дождиком. Она вспоминала последнюю встречу — и то, *как* он это сказал, доводило ее опять до истерики.

— Я мог бы тебе написать, — он сказал. — В письме я бы лучше сумел объяснить. Но мы с тобой столько всего пережили. Поэтому я и приехал сейчас. Но ты не держи меня, Зоя, не надо.

Конечно же, ей оставалось одно: уйти от него по пятнистой от солнца, усыпанной мертвой пыльцою дорожке. Уйти, сохраняя при этом достоинство. Она же сначала расплакалась, даже пыталась уткнуться зачем-то в плечо, которое он отодвинул с испугом, потом она стала его оскорблять, сказала, что он и всегда был ничтожным, пока жил две жизни — и с нею, и с *той,* а станет теперь ко всему просто подлым.

Она не должна была так говорить. На каждый поступок ведь можно взглянуть со многих сторон, и окажется разное. Но подлость была, ибо подл человек, и даже не Саша, а тот, самый первый, который предался греховной любви и был за грехи свои изгнан из рая. С него началось, он и был виноват. И вся наша страшная, темная жизнь, жестокость ее, и соблазны ее, болезни, и смерти, и войны, и даже тот факт, что ягненка *ест* волк, хотя прежде вовсе не *ел*, а любил, поскольку в раю всем хватало еды, — во всем виноват первый тот человек, с которого и началось, и пошло. А Саша там, Коля, Пафнутий, Степан, какой-нибудь турок там, грек или чукча, — они просто люди, потомки. С них спрос как с малых детей: согрешили — и в землю.

Сейчас, в середине сентября, бабушке давно было пора в Москву — в Москве ее ждали частные ученики, а кроме того, нужно было спешить к Алеше и не оставлять его там одного, вернее, с родителями. Надо сказать, что дочку свою, Алешину маму, она упрекала не меньше, чем зятя, а может, и больше. В дочери не хватало мягкости и того сладкого дурмана, которым женщина обволакивает мужчину по самые брови его, по макушку, и он, погружаясь в дурман, как на дно какого-то теплого южного моря, едва даже помнит себя. Что там помнить? А зять ее пьет. Почему и зачем? Затем, что он просто несчастлив в семье. Тепла не хватает. Тепла и покоя. В том, что он никуда не уйдет, несмотря на бесконечных своих женщин, бабушка не сомневалась ни на секунду. Впрочем, эта уверенность была раньше, до того, как Саша сообщил ей о своем решении. Теперь же бабушка ни в чем уверена не была. Все словно бы в ней надломилось сейчас, все сдвинулось с места и — без направленья, а так: лишь бы двигаться — начало плыть и тыкаться в разные мелкие камни.

Время шло, и ей становилось страшно одной, на даче, где память о недавнем летнем счастье с Сашей выскакивала, словно мышь из-под коврика. Пришлось переехать обратно в Москву, где тот же бесхитростный дождик струился на дом их в Леонтьевском, на воробья, комочком застывшего, и на косынки массивных, весьма неприветливых женщин, спешащих по разным семейным делам.

Бабушкино возвращение было как нельзя более некстати. Родителям и прежде дышалось гораздо свободнее в этой квартире, как только они оставались одни. К тому же, когда был у бабушки Саша, он всю ее жизнь поглощал своей жизнью, она находилась при нем, а здесь, дома, была независима, как государство размером с иголку, но с твердой валютой. Теперь Саши не было, все изменилось.

Первым делом, вернувшись, бабушка поинтересовалась, где Алеша.

— А он пошел в школу, там вечер сегодня, — спокойно сказала ей дочь.

Какая, однако же, самоуверенность! Откуда ей знать, где сейчас ее сын, который ей больше не верит? Писали пророки, предупреждали:

«Враги человеку — домашние...» Так-то! Но кто их услышал? Никто не услышал. И некому слышать, все заняты чем-то.

Семья Володаевых не составляла отнюдь исключения. Для них было важным одно роковое, но, кстати, весьма бестолковое слово, а именно: «мой» или, скажем, «моя». А что у тебя, у меня — «моего»? Не тело уж точно. Конечно, не тело. Попал под трамвай, и отрезало голову. Но это пустяк. А вот если чума? Смотрели кино «Пир во время чумы»?

Душа, прямо скажем, совсем уж не наша. С душой-то еще непонятней, чем с телом.

Про вещи мы даже и не говорим. Во-первых, они всех нас переживут. Ну, а во-вторых, это же несерьезно: считать, что тебе нужна вещь. Ты ей нужен. И ты попадаешь к ней в вечное рабство. Она-то свободна, а ты вот попался.

Как раз в ту минуту, когда мама уверенно заявила бабушке, что Алеша на школьном вечере, Алешу укладывали на носилки, и два санитара с сердитыми лицами просили людей не мешать им. Алеша был жив, но он почему-то не мог ни идти и ни даже стоять. Случилось же вот что. Он действительно направлялся к приятелю на Малую Бронную, и на переходе его сбила не успевшая вовремя остановиться машина. За рулем была беременная женщина, нарушившая правила дорожного движения тем, что не удосужилась воспользоваться ремнем безопасности и всем животом налетела на руль. Теперь ее тоже несли на носилках, и женщина громко рыдала. Но это не все. В машину с нерадивой беременной влетела другая машина, в которой сидели две старые пары, по виду не бедные, но некрасивые. Мужчины стояли теперь на асфальте в отлично пошитых плащах, а старухи сжимали руками своими в подагре тигрово-змеиные сумки. Они оказались французами, машина же принадлежала посольству. Французы-то были совсем ни при чем, поскольку их тоже внезапно ударило — в них врезался темно-зеленый «Фиат» с усталым и толстым таджиком в халате. А в самой последней машине, в четвертой, которая и причинила страданье всем трем остальным и была виновата, что все по цепочке боднули друг друга, да так, что беременную уносили, французы держались руками за шеи, а толстый таджик мял свою тюбетейку и все бормотал, что забыл документы, — вот в этой последней машине сидела любовь всей Алешиной жизни — Марина.

Его укладывали на носилки, и он не знал, что именно в пятнадцать лет и должно произойти то, что вот-вот произойдет с ним. Не знал, что любовь в человеческой жизни бывает всего лишь одна, и последняя, в то время как первых любовей, ребячьих, по пальцам не счесть, и они не приносят ни телу, ни слабой душе того страха, который есть только в последней любви. Не знал, что влюбляться положено в женщину, и женщина эта всегда уже с опытом, и в ней есть немного от собственной мамы, а если ты с бабушкой рос, то от бабушки. Короче, Алеша не знал ничего.

Его понесли на носилках в машину, и он был накрыт, как покойник, всем белым, и тут наклонилось такое лицо, что он чуть и вправду не умер — от счастья. А лучше сказать — от вторичного шока.

Она наклонилась над ним низко-низко, и слезы ее стали сразу же общими — он тоже был мокрым от них и соленым.

— Прости меня, мальчик, — шептала она. — Все будет в порядке, все будет в порядке! Я тоже поеду с тобой. Я поеду. Я буду сидеть там и ждать. Ты прости.

— Пустите, — сказал он тогда санитарам. — Я, в общем, нормально. Я просто упал.

— Какое нормально! Пускай проверяют! — сказал санитар. — Отойдите, гражданка.

— Куда вы везете его?

— В Склифосовского, — сказал санитар, и машина отъехала.

В Склифосовского было такое количество больных, что на какое-то время об Алеше просто забыли, поэтому он спокойно встал с носилок и сел на батарею — больше сидеть было не на чем: все стулья, скамейки и все подоконники уже были заняты. Часы показывали восемь вечера, и, значит, дома еще никто не беспокоился. Он подумал, что из разогретого человеческого месива, разбавленного насмешливыми и усталыми лицами врачей, легко можно было уйти — никто не заметит, не станет искать, но эти слова «я поеду с тобой» его будто клеем приклеили к месту. Он сидел на батарее в накинутой на плечи белой простыне, которая очень взрослила его и делала смутно похожим на взрослого, и ждал эту женщину. Ждал и дождался. Она наконец появилась в дверях, еще вся в слезах, и глазами, в которых мерцало, и переливалось, и ярко чернело от сильного страха, пошла сразу искать его — шарить по всем: по стоящим, сидящим, по всем, кто в простынях и кто без, и кто с костылями, а кто просто с палкой, — она искала глазами Алешу. Нашла — просияла.

Красивей ее он не видел людей. И Юна с ее алкоголиком-сыном, и Катя, и Соня, игравшие с папой во многих спектаклях и жившие тоже в их доме, в подвале, где раньше жил дворник, а как он ушел, так сделали студию и общежитие, — никто не годился ей даже в подметки.

Он все же был сыном вот *этих* родителей и внуком вот *этой* неистовой бабушки. В нем был... как бы это сказать? Романтизм.

Глава пятая

РОМАНТИЗМ

Из Склифа они вышли вместе: Алеша с Мариной Ильиничной. Ему, сидевшему на батарее и смотревшему на нее, пока она плакала от страха и радости, было совсем невдомек, сколько ей лет. Могло быть и двадцать, могло двадцать пять. А может быть, и восемнадцать. Но то, что она уже взрослая женщина, он понял и сразу смутился от этого.

— Болит что-нибудь? — спросила она.

— Ничего не болит, — ответил он ломким и радостным басом.

— Я так испугалась, — шепнула она и два раза быстро моргнула глазами. Ресницы ее были скользкими, длинными. — Ведь вы же стоять не могли! Это было...

И плечи ее затряслись.

— Не плачьте, — сказал он. — Прошло, чепуха. И доктор мне тоже нисколько не нужен. Пойдемте отсюда.

— Что? Правда не нужен?

Он спрыгнул тогда с батареи.

— Я слово даю.

Теперь они оба стояли. Алеша боялся дышать на нее — так близко ко рту его был ее лоб. Она была смуглой, с пушком над губой. Желтоватые тени залегли под глазами, переносица пестрела веснушками, такими крохотными и темными, что они напоминали подсохшие уколы иголкой.

— Пойдемте. Я хоть вас домой отвезу, — сказала она. — Как зовут вас?

— Алеша, — сказал он. — А вас?

— Марина. Марина Ильинична.

Он снова смутился — он был подростком, без всякого отчества, хотя начал бриться еще в конце лета.

На Садовом кольце Марина Ильинична стала ловить такси. Она подняла руку, — ее обтянутые красной кожаной перчаткой пальцы сделали в воздухе такое же легкое движение, какое делала его мама, садясь за фортепьяно. Рядом замигал зеленый огонек, и такси остановилось.

— Смену заканчиваю, — буркнул водитель, высовывая из окошка насупленное лицо. — Куда вам?

— Алеша, куда? — спросила она, оглянувшись, и ярко блеснула глазами.

— Не нужно везти меня, я дойду сам.

Он вспыхнул от унижения. Глупость! Зачем им такси? Заломит еще! Рожа такая, что точно заломит.

— Да нет же! — сказала она, покраснев. — Вы только скажите куда?

— Да рядом совсем! На Никитскую.

— Нет уж! — Таксист вдруг обиделся. — Не повезу! Мне в парк на Коломенскую, не повезу!

И быстро отъехал с оскалом вампира.

Они пересекли дорогу и медленно пошли по городу, где пахло немного гнилыми арбузами и мокрой, уже облетевшей листвой. Он жил в этом городе, жил до нее, поэтому был так угрюм и несчастлив. Сейчас же он даже не шел, он летел, но так, чтобы это в глаза не бросалось. Немного болели лопатки и бок, и только одно это напоминало, что он был телесен. Она говорила, и он говорил, и даже весьма оживленно и быстро, но весь разговор их казался Алеше похожим на легкую пену прибоя: слова потеряли значение слов, они стали просто гармошкою звуков, сперва вроде крупных и очень заметных, но вскоре впитавшихся в мягкий песок и сразу исчезнувших.

Было почти одиннадцать, когда они остановились перед темными окнами музея Станиславского. И в их темноте была тайна и счастье. И даже в том шуме, с которым сейчас плескались над ними дворовые липы.

— Вы разве в музее живете?

— Нет. Это — мой дом. — И он показал на свой дом подбородком.

— Родители ваши, наверное, волнуются.

— Чего волноваться? Приду.

— Они вам свободу дают, не стесняют?

— Но я же не маленький! — Он покраснел. — Боятся за девочек, я же не девочка.

— Теперь уж не знаю, как сяду за руль, — вздохнула она.

— Я тоже хотел бы машину водить, — сказал он вдруг искренне. — Но у нас нет. И папе, наверное, это не нужно. Ему на работу — два шага отсюда.

— Раз я проводила вас, так я пойду? — спросила она. — Вы ведь правда в порядке?

Он чуть не заплакал.

— Конечно. Хотите, я вас провожу? Не хотите?

Она улыбнулась.

— Вам нужно домой. Но будет минутка, звоните мне, ладно?

И он записал телефон на ладони. В Марининой сумочке был карандаш.

Ночью он ворочался и стонал так громко, что бабушка вышла из своей комнаты и пощупала у него лоб.

— Алеша, ты хочешь попить?

— Я вас провожу, — прошептал ее внук. — Вы только не бойтесь, здесь близко, два шага.

Глаза его были закрыты, лоб мокрый.

— Ну, вот! «Провожу»! А кого?

Она огорченно вернулась к себе, уснуть не смогла. Лежала, смотрела во тьму, и лицо негодника Саши белело во тьме и губы тянулись к ней — поцеловать.

Глава шестая

МАРИНА

Простившись с мальчиком, она поймала такси и через пятнадцать минут оказалась дома рядом со станцией «Аэропорт». На столе белела записка: «Нона Георгиевна не хотела кушать. Настроение нехорошее. Лекарства все выпила. Подмыла ее и протерла. Марина, ты где? Приду завтра в восемь. Агата».

Она вошла в теткину комнату. Там пахло духами, но больше всего пахло теткиным телом. Запах этого тела, которое Агата каждый день мыла, скребла, как скребут лошадь, заворачивала в махровые простыни и спрыскивала духами, преследовал Марину даже на улице. Оно пахло скисшим слегка молоком, а в теплый день, изредка, — мясом, сырым, немного уже полежавшим на солнце.

У Ноны Георгиевны не было никого, кроме Марины, и у Марины не было никого, кроме Ноны Георгиевны. Мама умерла в Ереване в восемьдесят восьмом, и вскоре за маминой смертью настал конец света. Сначала разверзлась земля, а потом пошел брат на брата, сосед на соседа, окрасились кровью и небо, и реки, и семьи скитались без крова и пищи. Марине тогда было только пятнадцать.

Похожая на остроносую птицу, прилетела Нона Георгиевна и забрала Марину в Москву.

Месяца два пришлось приноравливаться к тому строгому распорядку, которому ее тетка следовала с юности. Квартира была, может быть, и роскошной, но чинной и строгой, и роскошь ее скрывалась за строгостью. Паркет устилали ковры, на стенах висели картины, но не было ни украшений, ни свечек, ни даже цветов. Простота и достоинство. Нона Георгиевна, искусствовед и член Российской академии художеств, отвела Марине свой — бывший теперь — кабинет. Готовила и убирала приходящая домработница, сама уже старая и величавая, с огромным бордовым пучком на затылке, — Агата. Десятый Марина закончила здесь, но что делать дальше, не знала. Нона Георгиевна видела, что ей нужно дать передышку. Марина все время кричала во сне, звала к себе маму и плакала. Тетка не сомневалась, что из девочки должен выйти хороший врач, поскольку она была мягкой, отзывчивой и, кажется, нелегкомысленной. Необязательно было поступать в медицинский сразу после окончания школы. После того, что она пережила, занятия в таком институте были бы непосильной нагрузкой, но нужно готовиться. Неторопливо и целенаправленно. Нона Георгиевна, живущая целенаправленно с юности, нашла репетиторов, стали готовиться. При этом она объяснила Марине, что нужно работать, не спать до двенадцати. Марина пошла санитаркой в большую, известную всем москвичам как элитную, литфондовскую поликлинику. Работала там с десяти до пяти. В шесть на своей машине возвращалась домой Нона Георгиевна в длинной и легкой норковой шубке. Лицо ее было надменным, а веки — сиреневые с серебром. Нос птичий напудрен, и пудра блестела от мелких снежинок, которые мягко слетались на это лицо, пока она быстрой балетной походкой шла от гаража до подъезда.

Встречали втроем Новый год: Агата, Марина и Нона Георгиевна. А на следующий день, первого января, когда жизнь медленно восстанавливалась, и были закрыты торговые центры, и дети вели из гостей своих пьяных, смеющихся, в рвоте и вате, родителей, Нону Георгиевну ударил инсульт. Она в узких строгих очках, в серой кофте, сидела в столовой и что-то писала, а этот проклятый инсульт, как разбойник, набросился сзади и все опрокинул: и стройную женщину вместе со стулом, и книгу, и лампу. И стало темно.

С этого дня в их доме поселилась болезнь. Поселилась устойчиво, нагло, как дальняя родственница из провинции поселяется у столичных стариков, которые терпят ее и боятся, в то время как та уже и прописала в квартире двух дочек своих вместе с внуками и ждет только смерти и деда, и бабки, каковая позволит ей

сделать ремонт и выбросить хлам стариков-
ский в помойку.

Марина не сразу привыкла к тому, как все
изменилось. Каждый раз у нее начинало коло-
титься сердце, когда эту недавно заносчивую и
блестящую Нону Георгиевну Агата — с лицом
скорбным, кротким и грустным — сажала на
белый, в цветочках, горшок, и бедная Нона пи-
щала, как птичка, поскольку уже не могла говорить. Тем более грустной была процедура,
когда эти двое — Марина с Агатой — несли на
руках из распаренной ванной завернутую в
простыню инвалидку, и ножка ее в тусклых черных сосудах слегка задевала за чинную мебель.
Все делалось молча, спокойно и буднично. По-
корная робкая Нона Георгиевна лежала в суме-
речной тишине своей комнаты, а в ясные теп-
лые дни Агата возила ее подышать. Сажала в
огромное кресло и скорбно выкатывала это
кресло во двор. Жильцы элитного дома краснели
и шаг ускоряли, завидев обеих. А Нона Георгиевна наблюдала за медленным ростом деревьев:
вниманье, с каким зрачки ее вдруг упирались в
какой-нибудь ствол и на нем застывали, могло
быть достойным свидетельством этого.

В половине десятого Агата уходила домой,
и ночь Марина проводила наедине с теткой.
Нельзя сказать, что Нона Георгиевна ее особенно беспокоила, хотя Марина по два-три раза
заходила к ней, сажала на тот же роскошный

горшок, похожий почти на музейную вазу, потом выливала его содержимое, прозрачное, как у ребенка, и тетка опять засыпала беспечно. Вся жизнь была тихой и однообразной. И вдруг изменилась.

В поликлинике, где Марина по-прежнему работала санитаркой, к ней вдруг подошел невысокий и плотный, почти даже полный, хотя мускулистый, кудрявый, прищурившийся, темно-рыжий, представился Зверевым и удивился, что она трет шваброю лестницу.

— Да с вашей ли внешностью лестницы мыть? — сказал он и даже немного разгневался. — Я вам говорю это как режиссер.

Она неожиданно так растерялась, что вся покраснела. Он напоминал румяного и беззаботного фавна, особенно эта его голова: огромная, в бронзовых мощных спиралях. Глаза были желтыми, быстрыми. Взгляд выхватывал тело ее из одежды.

— Не лестницы мыть вам, а в фильмах сниматься!

— Но я не актриса, — сказала Марина.

— Лицо у вас есть. — Он на шаг отступил. — Лицо и фигура. А что еще нужно?

Она не нашла, чем ему возразить.

— Свободны сегодня? — спросил ее фавн.

— Свободна, — кивнула Марина.

Пошли в ЦДЛ, в ресторан, где сидели одни знаменитости. Позже других явился, весь в розовом, с желтою бабочкой на тощей от возраста шее, поэт, к которому сразу подсела блондинка, прося его что-нибудь спеть.

— Все свои, — сказала блондинка. — Гулять так гулять. Вы, Женя, поете не хуже Кобзона.

— А платят мне меньше, — заметил поэт, но все-таки спел два старинных романса.

На режиссера Зверева произвело очень хорошее впечатление то, что девушка отказалась от спиртного.

— У нас так не принято. Нам так нельзя, — сказала Марина

— Не принято как? — уточнил он, румяной и рыжей рукой скребя свою крепкую бороду.

— Армянская девушка пить не должна. Позор всей семье, — прошептала она.

— Ах, вот как! А как же купаться? На пляже? Что, тоже нельзя?

— Я в майке купаюсь, — сказала Марина. — А многие женщины в платьях. Так можно.

— Смешно, — улыбнулся он.

— Почему вам смешно?

— Пойдемте ко мне, я вам кофе сварю. А то здесь все пьют. Просто дикость одна! — Он поморщился.

В квартире Зверева, поблизости от метро «Таганская», все стены были увешаны пейзажами на тему зимы — то лес под покровом, пушистым и белым, то избы, покрытые сизой метелью, и отблеск лучины, и месяц в далеком, искрящемся небе, то баба простая — в лаптях, с коромыслом — несет себе воду по узкой тропинке, протоптанной утром лаптями соседок, не остановивших вниманья художника.

— Глядите, — сказал режиссер, обнимая Марину за нежные девичьи плечи. — Любимая тема: Россия, зима. Все деньги уходят на эти полотна. Закончу в тюрьме. Долговой, разумеется.

Забили часы, и Марина опомнилась.

— Ой, что же я! Тетя одна!

— Э, нет, не годится! Что тетя? Я вас не пущу!

— Но у нас так не принято, — опять сказала она, опуская ресницы.

Он вдруг обхватил ее крепко за талию. Марина вцепилась в горячую бороду и дернула так, что он крякнул от боли.

— Нельзя так! — сказала она совсем тихо. — Зачем же так делать? Нехорошо.

В мозгу его, много познавшего разных пастушек, и нимф, и солисток балета, и даже трех летчиц и двух космонавток, сама собой вспыхнула схема захвата.

— Марина! Вам нужно домой? Поехали, я отвезу. И простите.

Марина заметно смутилась, помедлила.

— Надеюсь, что наше знакомство оставит в обоих прекрасные воспоминанья, — сказал он и очень внимательным взглядом поймал весьма грустную легкую тень, которая заволокла ее личико.

В машине он кротко молчал и посвистывал, как будто Марины и не было рядом. Потом вдруг спросил:

— Рассказать вам такое, о чем я, поверьте, ни разу... ни слова?..

И громко сглотнул.

— Расскажите, конечно.

Она была и смущена, и растеряна.

— Снимали на Кольском, — сказал он негромко. — Поехали летом. Я был в это время влюблен. Я любил. Любил больше жизни прекрасную женщину. В ее животе был наш общий ребенок. Она была замужем. Муж идиот. Тяжелый невротик, способный на многое. Художник, весьма неплохой, между прочим. Вы помните бабу в кокошнике, с ведрами? Так вот — это он. Не торгуясь купил. Он очень любил ее, а ведь все неврастеники устроены так: могут взять и зарезать. И мы с ней решили: родится ребенок, тогда мы и скажем. Пусть прежде родится. Я приторможу?

Зверев притормозил. Марина вздохнула от чистого сердца.

— Был ясный погожий денек. Синева. Простор, ни души. Заповедные земли. И тут наступил конец света.

Марина вдруг съежилась:

— Землетрясенье?

Он быстро взглянул на нее:

— Нет, похуже.

— Но хуже-то ничего не бывает, — сказала она, побелев в темноте.

— Не стоит нам сравнивать. Право, не стоит. У вас за спиною — одно, здесь — другое. Я помню все, все. До мельчайших подробностей.

Пошел крупный план, он заметно увлекся:

— Она напевала, готовила что-то. А я любовался. Живот ее был... Такой, словно купол небесный, на фоне огромного этого, синего озера. И вдруг все исчезло. Магнитная буря! Кругом темнота, дикий ветер и снег. Вернее, не снег. Все накрыло волною колючего острого льда. И ни зги. Тут я закричал, стал искать ее, шарить. Нащупал, нашел. Я схватил ее на руки и сразу пошел сам не знаю куда. Я нес ее в этом аду, шел и шел. Не знаю, как долго. Час, два. Шел и шел. Пока не свалился.

Марина в темноте дышала как козочка — нежным, молочным. Он вдруг замолчал. (Ведь дрянь-режиссер Параджанов! Ведь ноль! А как ведь пролез на своем колорите! Конечно: гранат. Спелый, сочный гранат. И каждое зернышко — цвета граната. И каждое зернышко — лучше отдельно... Сперва грызть и грызть, а потом проглотить... А съемку начать можно сценой купанья: бежит к воде в майке, и вся золотистая...)

— А что было дальше? — спросила Марина.

— Очнулся уже в вертолете. Нашли. Ну, терли меня, растирали, поили. Ее рядом не было. Я ее нес — умершую. С нашим умершим ребенком.

Марина заплакала. Он ее обнял.

К тому дню, когда произошла автомобильная авария и мальчика, сбитого машиной, в которой оказалась беременная женщина, уложили на носилки, — к тому дню любовная связь Марины с режиссером Зверевым насчитывала три года и три месяца. За все это время ей ни разу не пришло в голову, что история с магнитной бурей на Кольском полуострове была вычитана им в журнале «Вокруг света» и смело использовалась не один раз. Включались детали, включались подробности, которые сами себя обновляли и сами себя изнутри омывали, как вешние воды укромно лежащий и весь побелевший от времени камень.

Ему, волосатому дерзкому фавну, нужна была новая женская плоть. О девичьей не приходилось мечтать: откуда же в нашем столетии — девичья? И вдруг повезло. Да ведь как повезло! Он был ее первым мужчиной. Кому рассказать — не поверят, но факт. Никто до него не касался, не трогал. Он был удивлен, умилен, даже думал: возьму и женюсь! Будут только завидовать. Потом поостыл. Лучше пусть будет грех. Большой сильный грех, как пристало художнику. Такое подчас приходило на ум (ночами особенно!) — диву давался. Потел под пижамою, хоть выжимай. Прочел вот «Лолиту» и месяц глазел на маленьких школьниц. Потом испугался. У нас не Таиланд. У нас, слава богу, нормальная жизнь: без педофилии, без детского секса. Ему повезло, что он встретил Марину. С одной стороны, ведь подросток, дитя. Смеется по-детски, стесняется, плачет. С другой стороны, королева. Глаза! Глаза, как у серны. А ноги? А грудь? В коллекции женщин, которую он собирал по крупицам, Марина была самым крупным брильянтом, но фавну хотелось и мелких стекляшек, хотелось немножко запачкаться. Вот ведь! И после стыдливой Марины и глаз, в которых он просто тонул, шел на дно, приятно и в тине немного поплавать. С какой-нибудь рыженькой, хриплоголосой, какая сама с тебя стянет трусы, сама отхлебнет и винца из фужера, и после заснет у тебя на плече, дыша табаком тебе в самое ухо. Он был ненасытен, широк, плотояден. Стоял на своем, хоть ты режь его, хоть крутым кипятком поливай из ведра! Когда он со вздыбленной шерстью на теле крушил и кромсал тех, кто вздумал с ним спорить, то люди, поросшие жиденьким пухом в районе груди и обвислых подмышек, сдавались. Он был из породы отчаянно-крепких. Он был из глубинки и сам проложил дорогу наверх, на вершину в алмазах, и сам, увязая по пояс в грязи, скользя в ней, и падая, и матерясь, расселся, как молох, на этой вершине и ноги расставил, чтоб не свалиться.

Постепенно Марина его поняла. Да он ничего не скрывал. Его обаяние и заключалось отчасти в небрежности с женщинами. Он словно хотел отомстить им за то, что их было много, а он был один, и нету от них ни минуты покоя. С Мариной он долго терпел и старался ее не обидеть, насколько возможно. Ведь девочка! Просто как с неба свалилась. Наверное, от изумления фавн решился на смелый поступок — оформил Марину гримером на студию. И студия ахнула: чтобы любовницу, которая будет, конечно, следить за всеми его, так сказать, увлеченьями, вдруг взять и своими руками настолько приблизить к себе, к своей собственной жизни!

Незадолго до вечера, о котором сейчас пойдет речь, Марина получила водительские права и теперь ездила по городу на машине Ноны Георгиевны. Минут было сорок от «Аэропорта» к нему на «Таганскую». Она не сказала, не предупредила. Хотелось устроить приятный сюрприз: прийти и обед приготовить, прибрать. О, эта навязчивость любящей женщины! Ведь он объяснял ей: не нужно обедов. И влажной уборки в квартире не нужно. Придут из агентства, все сделают мигом. Она не послушалась, бедная дурочка.

На лифте написано: «Лифт отключен». Взлетела на пятый этаж, как пушинка. Никто не открыл. Она позвонила и долго держала свой тоненький палец на кнопке звонка. Его, значит, не было дома. Марина спустилась и села в машину.

И тут же работник искусства, любимый всем сердцем ее и всем телом, подъехал в такси. Он вылез, и следом за ним с такой миной, как будто ее каблуки примерзают к асфальту, хотя было лето и очень тепло, возникла совсем незнакомая женщина. Она была выше его, смугло-бледная, с большим и накрашенным ртом. Он сразу схватил ее под руку. На волосатом лице его с ярко вспыхивающими глазами она узнала то выражение веселого бешенства, которое появлялось у него всякий раз, когда Марина приходила к нему и он, открывая ей дверь, громыхая дверною цепочкой, ее раздевал. Не ждал ни секунды. Пока они, тесно обнявшись, спешили в его всегда темную спальню, и баба в лаптях недовольно смотрела на эту бесстыдницу из Еревана, пока они, словно слепые, валились — под хрипы его грудной клетки и клекот — на плед со следами пролитого кофе, Марина была уже голой и мокрой.

Когда эта женщина и режиссер исчезли в подъезде, ее не заметив, Марина лицом упала на руль. Глаза ее видели серый чехольчик и дырочку, выжженную сигаретой. Потом она перебежала дорогу и стала звонить ему из автомата.

— Алло, — ответил он пышным басом.

Наверное, он раздевал эту женщину. И баба в лаптях крепостным, терпеливым, по-русски загадочным взором смотрела на этот разврат.

— Ты дома? — спросила Марина.

— Я дома. Я жду сценариста, мы будем работать.

— Открой мне! — сказала Марина, заплакав. — Раз ты один, я же не помешаю?

— Сейчас не могу, очень много работы. — И трубку повесил, и не попрощался.

Она добиралась до дому весь вечер — плутала и путала улицы. Дома Агата купала больную хозяйку.

— Марина! Поди помоги мне, — сказала Агата, сморкаясь от пара в свой клетчатый фартук.

Она помогла. От тетки запахло печеной картошкой, а это был признак, что вымыли чисто.

Агата ушла, и Марина в красивой, измявшейся юбочке Ноны Георгиевны легла на диван и ладонями крепко зажала рот, чтобы не закричать. Утром она собрала в пластиковый мешочек все украшения, которые он подарил ей. Два тонких колечка, сережки, браслетик. Поехала на студию. Он был в кабинете, и дверь приоткрыта. Его золотые кудрявые волосы стояли над круглой большой головой, и сила была в каждом скрученном волосе. Марина с размаху швырнула мешочек. Хотела в лицо, но — увы — не попала.

— А я не успел позвонить, извини, — сказал он спокойно. — Опять оператор в запое, мерзавец. Не знаю, что делать.

— Не смей никогда мне звонить! Никогда.

Она захлебнулась. Он поднял мешочек и выбросил в мусор.

— Так будет надежней. Иди-ка ко мне.

Она подошла. Он быстро схватил, посадил на колени.

— Сиди и молчи! Ты следила за мной?

— Следила?

— А что тебя вдруг принесло?

И он, оттянувши назад ее голову, прижался смеющимся ртом к ее горлу. Она начала вырываться.

— Да тихо! — Он встал. — Я жду тебя в восемь.

— Не жди! Не приду!

— Придешь, моя радость. Ну, все, я работаю.

Приехала в восемь. Рыдала навзрыд, пока к нему ехала.

И так продолжалось не день и не два. Три года и целых три месяца. Весь ужас был в том, что любила *такого*. Потом она просто махнула рукой. Решение тихо созрело само и вот дожидалось последнего срока, как плод, оттянувший высокую ветку, ждет ветра, который сорвет его наземь. Как только умрет тетя Нона, она тогда сразу покончит с собой. Иначе нельзя. Нельзя жить с позором, нельзя жить так грязно. Кому она будет нужна после Зверева? На ней же никто не захочет жениться.

Иногда Марина принималась успокаивать себя тем, что этот позор должен все же закончиться. И если появится вдруг человек, который полюбит ее и *такую,* она ничего и не станет скрывать, а сразу расскажет и все объяснит. Сама же во всем виновата, сама! Сама ведь приходит, сама подставляет себя его жадному рыжему рту, хохочет, и плачет, и дышит со свистом. Вот мама бы поглядела! Она бы тогда еще раз умерла.

Марина понимала, что они с мамой совсем не похожи на Нону Георгиевну.

Вечером, уложив тетку поудобнее, убавив свет в ее ночнике, Марина не сразу уходила к себе, а стояла и внимательно рассматривала хрупкое, почти бескостное тело, мягко очерченное под одеялом, и маленькое, но волевое лицо с сухими и сжатыми плотно губами. Морщинистые щеки Ноны Георгиевны вечерами принимали светло-сизый оттенок, напоминающий цвет блеклых осенних пашен, и, глядя на эти морщины и губы, Марина вспоминала, как Нона Георгиевна прилетела за ней в Ереван после маминой смерти. Она была собранной, сильной и властной.

— Теперь ты ей будешь как дочка, — шептали соседки. — Своих-то детей Бог не дал, ты вот будешь.

Но Нона Георгиевна не собиралась племянницу сделать зачем-то вдруг дочкой. Она выполняла свой долг, но и только. А все эти сентиментальные чувства — возникни они — ей бы очень мешали. Марина жила и училась в Москве, была и сыта, и одета-обута, ей дали возможность готовиться в вуз, о ней беспокоились. В меру, конечно. Во всем остальном продолжалась та жизнь, какая была до Марины. Такой вариант их обеих устраивал. Видя, как Нона Георгиевна готовится, например, к конференции, внимательно и спокойно глядя в раскрытые перед ней книги выпуклыми глазами, как она разговаривает с коллегами по работе или даже просто покупает на улице мороженое, Марина убеждалась, что существуют женщины, которым семья не нужна. Никакая. Представить себе Нону Георгиевну меняющей пеленки или напевающей колыбельную, представить ее торопливой, тревожной, испуганной, скажем, болезнью ребенка, заплаканной и бестолковой равнялось тому, чтоб слетать на Луну. Хотя... Ничего не известно заранее. Кто мог бы подумать, что Нону Георгиевну судьба обречет вскоре на неподвижность и этот особенно жуткий и странный, на чем-то всегда остановленный взгляд?

А Зверев Марине сочувствовал.

— И как ты, бедняжечка, это все терпишь?

— Что значит — терплю? Что же, мне ее бросить?

— А я бы, наверное, бросил, не смог. И черт с ней, с московской квартирой! Не смог бы!

— Я не за квартиру терплю.

— А за что?

Она раскрывала глаза:

— Ты ведь шутишь?

— Зачем мне шутить? Я ценю свою жизнь. Надеюсь на лучшее ей примененье. Возьму и сниму вон «Джульетту и духи»! И будет не хуже Феллини!

— А если с тобой рядом кто-то страдает?

— Ну, тут ничего не изменишь. Конечно, всегда рядом кто-то страдает. Поскольку помочь все равно не могу...

— А если с тобой тоже что-то случится и ты тоже будешь страдать?

— Нет, не буду. На это ты не рассчитывай, детка.

Пару раз она попыталась вырваться.

— Я больше к тебе никогда не вернусь. — И плакала горько, навзрыд.

— Ну, иди. Иди. Я тебя не держу, моя радость. Захочешь вернуться, звони на работу.

Она возвращалась, она приползала, и он багровел, и веселое бешенство опять загоралось на рыжем лице. И снова под взглядом крестьянки в лаптях они, спотыкаясь, шли в спальню, и снова внутри ее все раздвигалось, сочилось, как спелый гранат своим огненным соком.

Когда он в очередной раз не открыл ей дверь, а свет в его окнах горел и по шторе ползла, как змея, чья-то тонкая тень, она полетела по улицам, врезалась в машину, стоящую на светофоре, а та, в свою очередь, не удержалась и врезалась в ту, что была перед ней. Вокруг все столпились, завыла сирена.

Она поняла, что убила кого-то.

Глава седьмая

СТРАСТЬ

Сначала он думал, ему ничего и не нужно — просто смотреть на нее. Если она говорила, что вечером будет дома и можно прийти к ней, он приходил в назначенный час, садился в столовой и ждал. Их жизнь была тихой, почти что бесшумной: Агата купала хозяйку, Марина ждала с простыней. Потом они тихо несли этот кокон с большими глазами и мраморной пяткой, всегда задевающей глухо за мебель, в просторную спальню и там еще долго возились, кряхтели, журча по-армянски. Он ждал. Они выходили, садились за стол. Еда была вкусной, совсем не похожей на ту, что готовили бабушка с мамой. За столом говорили мало, Агата сокрушалась, что Марина ничего не ест. Иногда Агата принималась расхваливать Алешу и говорила, что на месте его мамы она бы гордилась таким, как он, сыном. Алеша в ответ усмехался: в их доме гордились успехами папы на сцене. И больше ничем. Это было святыней. Марина жила в ожиданье звонка. Она замирала, когда ей мерещился звук телефона. Потом убеждалась в ошибке, бледнела и отодвигала тарелку. Вскоре уходила Агата — надевала длинное черное пальто, накидывала черный шарф на пышные волосы, и дверь за ней громко захлопывалась. И тут начиналось блаженство. Они вместе мыли посуду, ее вытирали и ставили в шкаф. Марина шла в спальню проведать больную, из спальни журчала смущенная струйка. И все затихало.

Она возвращалась, садилась с ногами опять на диван. В ее красоте была мягкая робость, какая бывает в щенках и котятах. И волосы чуть отливали лиловым, когда пробегал отсвет фар по лицу. Алеша острил, и Марина смеялась. Он стал остроумным. Что с ним происходит, он не понимал. Все краски и запахи стали другими. Дышать было трудно.

Иногда раздавался телефонный звонок. Марина, вскочив, хваталась за трубку. Алеша и не догадывался, что нужно для приличия выйти из комнаты. Он оставался сидеть, и она говорила, отвернувшись, приглушив голос. Разговор не продолжался больше трех-четырех минут. Она возвращалась с каким-то наивным, хотя тоже робким восторгом в глазах, который почти не пыталась и скрыть, но чаще бывало такое, что он ее не узнавал: Марина бледнела, закостеневала. Она его, кажется, даже не слышала. Тогда он вставал и прощался. Она шла до двери, трепала его по руке, но мука была в ее милом и робком, как будто присыпанном снегом лице.

И он убегал. Чтобы ночью во сне видеть это лицо. Отец бы, конечно, ему объяснил, что эта Марина давно уже взрослая, «живет», разумеется, с кем-то. С мужчиной. Не нужно соваться, Алеша, ты слышишь?

Но он не делился с отцом, он не мог. Однажды сказал, впрочем, Кольке Нефедову:

— Я женщину встретил.

— И что? Ты с ней спал? — спросил его грубо Нефедов.

— Как спал? — Он побагровел.

— Как все, — отмахнулся Нефедов. — Все спят.

— Кто все?

— Ну, не знаю! Наверное, кто-то и врет. Не поймешь.

— Да все они врут!

— Вряд ли все.

Нефедова надо убить, идиота. Мараться не стоит. Алешу трясло. Он все *это* знал. Вокруг все давно целовались и тискались. Да хоть бы и спали! При чем здесь Марина?

После этого разговора он перестал замечать Нефедова, но что-то в нем вдруг сорвалось. Он начал смотреть на Марину другими глазами.

Если бы он хоть на самую малость представлял себе, чем была ее жизнь! Он, может быть, даже ее пожалел. Но пытка, которую он выносил, и все в нем горело и все нарывало, ужасная пытка его подозрений, — она исключала все прочие чувства, а жалость — тем более. Когда он сидел рядом с ней, такой тихой, то ревность его иногда и слабела, как руки и ноги. И он уходил от нее, унося в той впадине мозга, в какую скатилась не нужная всем другим впадинам кровь и, загустевая все больше и больше, давила ему на глаза изнутри, — он там ощущал ее: женщину, женщину... И, мучимый воображением, тщетно пытался понять, как же это? Садится в машину и едет... К кому? И *что* он там с ней?

Иногда он диву давался, почему она позволяет ему чуть ли не каждый вечер вваливаться к ней в дом и допоздна сидеть, пожирая ее унаследованными от отца черными глазами, у которых нижние и верхние веки налезали на зрачки, отчего сами глаза казались узкими, почти азиатскими. Он не догадывался, что Марина схватилась за него, как провалившийся в прорубь человек, до крови царапая руки, хватается за острые края льда, и пальцы его примерзают, скользят, но это единственный шанс не уйти в глухую и черную воду, где звезды смешались с заснувшими рыбами, не кануть туда, в черноту, а вползти обратно на лед, чтобы жить и дышать.

У нее и раньше не было в Москве никого, кроме Ноны Георгиевны и Агаты, а теперь, когда появился Зверев, не было никого, кроме него. Вернее сказать, Нона Георгиевна была. Она то существовала в виде куколки, когда они с Агатой выносили ее из ванной, туго запеленутую в махровую простыню, то в виде худенького подростка с аккуратно расчесанными волосами на высохшей и неподвижной головке. И всякий раз, видя Марину, она принималась мычать.

Агата махала рукой:

— Что она понимает! Мычит — и мычит.

И тут же стирала слезу со щеки:

— А раньше какая была! Королева! Что слово, то целая книга! Какие советы давала! Мужчин всех вот так, как орехи, колола! Вот так!

Стучала ребром своей левой ладони по правой:

— И так! И вот так!

В половине десятого, закрыв за Агатой дверь, Марина входила в комнату тетки. Чаще всего в это время та еще не спала, а, лежа на спине, пальцами правой руки, унизанными серебром, перебирала складки на одеяле. Правая рука, хотя и с трудом, но немного работала. Марина обходила кровать и останавливалась у нее в ногах.

— Вам что-нибудь нужно?

Несмотря на то, что у Марины не было никого, кроме Ноны Георгиевны, Зверева и Агаты, она продолжала называть тетку на «вы», и что-то противилось в ней тому факту, что это родная сестра ее матери. Она ее, может быть, даже боялась. Хотя кого было бояться-то, Господи? У тетки со временем и не осталось почти человеческих черт. Она стала странно похожа на птицу, большую и голую птицу без перьев, которая смотрит во тьму, не мигая, и, может быть, видит в ней то, чего люди и птицы в богатом своем оперенье не видят и долго еще не увидят.

Нона Георгиевна с трудом приподнимала правую руку и пыталась придать ей указывающее на угол ее платяного шкафа положение. При этом мычала так громко, с таким словно даже отчаянием, что Марина начинала сомневаться в правоте Агаты, уверенной в том, что

Нона Георгиевна ничего не понимает. Те усилия, каких стоили тетке эти беспомощные движения и мычание, — усилия, от которых ее маленький крутой синеватый лоб с приклеившимися к нему прядками волос покрывался бусинками мелкого пота, — доказывали обратное. Однако когда Марина подходила к шкафу и даже приоткрывала его дверцу, лицо Ноны Георгиевны наполнялось вдруг таким ужасом, словно на ее глазах готовилось убийство.

Не менее странные вещи происходили и в личной, любовной жизни Марины. Режиссер Зверев вдруг изменился. Он стал и добрее, и мягче. И это Марину пугало. Интуиция подсказывала, что дело не в ней и в их отношениях, а в чем-то другом, и теперь он скрывает не женщин случайных с их с яркими ртами, а может быть, даже болезнь. Кто знает? Не только Марина заметила, что у шумного и неуправляемого Зверева внезапно улучшился характер. Но он как-то странно, печально улучшился: глаза его стали несчастными. А не с чего было печалиться. Успех последнего фильма превзошел все ожидания. Зверев пошел, что называется, ва-банк: переплел злободневную чеченскую тему с темой трагической жизни первой русской эмиграции в Париже, но этого мало: обе эти мощные, но уже кое-кем и попользованные темы наложились на новаторски густо поданную историю из жизни юношества, так что в придачу к ним — на хемингуэевский лад — прозвучала и тема потерянного поколения.

А поскольку — и вряд ли кто скажет иное — основными чертами так называемого «элитарного сознания» являются все же банальность и серость, и эти же качества определяют сознание целых народов, хоть будь он богоносец, как русский народ, будь чинно-жестокий, как, скажем, немецкий, будь утонченный, но очень кровавый, — такой, как японский, — то очень понятно тогда, что фильм Зверева, где все было серым и очень банальным, и мелочным, и аккуратно продуманным (хотя и казалось мгновенно рожденным в его голове, будто там, под кудрями, вздымались громады серебряной пены, из коих, нагие, отчаянно-юные, одна за другою бежали находки большого художника, мысли и образы), понятно, почему именно этот фильм понравился в Каннах своей элитарностью. Если бы все это произошло месяц назад или два, бронзоволосый фавн, вероятно, так упивался бы, что все мостовые трещали бы в Каннах, но он хоть и был вроде очень польщен, но все же не так, как обычно. Глаза, — говорю вам, — глаза изменились! Как будто бы их изнутри погасили. С Мариной же был очень мил и заботлив. И страстен, но в меру и реже обычного. В понедельник вечером, например, у нее вдруг поднялась температура, разболелась голова, и она заснула прямо в его кровати, а он не стал будить ее, а осторожно предложил ей, сонной, выпить таблетку аспирина и сам, своими могучими руками, заварил ей крепкого чаю и поил бережно, по мелкой серебряной ложечке, пока не убедился, что температура спала, и только тогда, закутав как следует, отвез заболевшую к Ноне Георгиевне, а сам — уже ночью — вернулся домой.

Они по-прежнему встречались раз или два в неделю, и он, словно стремясь предупредить ее звонки, звонил сам, причем каждое утро, так что звонить вечером и не было надобности, а перед ее приходом заскакивал на рынок, и они готовили что-нибудь вкусное, в четыре руки вместе жарили-парили, и пахло не только в квартире, но и на лестничной клетке. Из-за этих кулинарных праздников сами свидания их стали короче, бледнее, на постель часто даже не оставалось времени, но Зверев, который, бывало, дрожал, встречая ее на пороге, и тут же волок в свою спальню, перестал обращать на это внимание, словно просто потолкаться рядом с Мариной у плиты и съесть с ней на ужин рагу из барашка — такая же радость, как все остальное.

Пару раз за это время он отлучался в какие-то командировки, а съемочная группа оставалась в Москве. Их отношения с Мариной ни для кого на студии не были секретом, но она так и не стала своей в этом дружном и честолюбивом коллективе, ее молчаливая замкнутость и врожденная стыдливость, которые в свое время так привлекли всеядного режиссера, образовали вокруг Марины какую-то словно зеленую изгородь, как это бывает в саду, там, где роза особенно редкой и хрупкой породы обносится плотной посадкой кустарника. Дружный и честолюбивый коллектив знал или догадывался о чем-то, о чем не догадывалась она, но все, затаившись, молчали и даже с несвойственной им деликатностью, встречаясь с ее вопросительным взглядом, быстрей отводили глаза. Она и сама проклинала себя за этот нелепый неженский характер и, зажимая рот руками, чтобы не слышала тетка, рыдала ночами в подушку, но мама, которая очень давно умерла, садилась с ней рядом, ее обнимала, и плакали обе. Бывает и так. Все бывает.

Глава восьмая
РЕЖИССЕР ЗВЕРЕВ

Между тем именно сейчас Зверев и переживал свой подлинный звездный час. От этого, может быть, так изменились глаза его и поведение в целом. Острота именно этого звездного часа состояла в том, что там, где обрывалось все, что было связано с событиями, приведшими режиссера Зверева к новым ощущениям, он чувствовал словно бы как бахрому морского прибоя, и это она — вся из пузырьков, из каких-то лохмотьев — чертила границу между новой жизнью и всем остальным. Догадаться, что режиссер Зверев встретил очередную женщину, было так же нетрудно, как, выйдя на улицу и убедившись, что все расцвело, сообщить окружающим, что вот: наступила весна.

Немолодому уже фавну, с головы до ног заросшему золотой шерстью, приходилось сталкиваться с разными вещами на свете, начиная от излечимых венерических болезней и кончая временной немилостью начальства. Но с одним испытанием он не сталкивался никогда: не было на земле женщины, которая не уступила бы его желанию. И быть не могло такой женщины — фавны свое дело знают. Да, и от него уходили. Но *после*. И он отпускал. Был широк, ненавязчив. Черпал этих женщин, как воду из речки. Вот раз зачерпнул — оказалась брюнетка. Другой зачерпнул — оказалась блондинка. А кто это там под корягой-то прячется? Скажите какая! Наверно, шатенка. Не знал он им счета, не помнил имен.

А тут оказалось: лесная сторожка, и в ней живет баба, жена лесника. И он, режиссер, зашел к бабе напиться. А вышел ни с чем.

Но лучше подробно. Снимали под Вильнюсом. Известно, что дивной своей красотой, своими озерами, реками, чашами бездонной воды в самом сердце лесов, своими долинами, дюнами, даже внезапными скалами эта земля обязана лишь леднику. Был ледник, который прошел по ней, снес, разломал все сущее и отступил, не вернулся. Вполне человеческий тип поведения. Она же, земля, потужив и помучившись, вдруг вся зацвела, вся от слез заблистала. Ледник ей оставил так много воды! Она ее выпила и излечилась. Но мало того: обнаружилось что-то, чего раньше не было. Суровая твердость людей и природы. И даже деревья, которые жадно и так ненасытно шумят, задыхаясь, роняя листву, — даже эти деревья и то уверяют сквозь хрип и удушье, что в них есть живучесть, которой не знают другие, рожденные в ласке и неге.

Снимали в лесном заповеднике. Сказка! И Зверев рычал от восторга, урчал. Такая природа спасет любой фильм. Она — красота. Красота спасет мир. Совсем не дурак был больной Достоевский, хотя сладострастник. Но Бог нам судья: пусть мы сладострастники с Федор Михалычем, но не идиоты, нет, не идиоты! Вот рукопись про идиота — пожалуйста. Позвольте аванс. Фавн смеялся спросонья: приходит же в голову черт знает что! Закончился пятый день съемок. Все было прекрасно, но не было женщины, а фавну хотелось любви.

Чувствуя, как все тело его горит под рубашкой, он, в огромных резиновых сапогах, с по-

блескивающей в бороде паутиной, сбивая суч-
коватой палкой головки невинных ромашек,
отправился в лес. Пройдя километра четыре,
не больше, увидел добротный бревенчатый дом
без забора. За домом был пышный, большой
огород, капуста лежала на грядках, как головы.
Лесничий, наверно, живет. Больше некому.

Звереву вдруг отчаянно захотелось пить. Он
поднялся по ступенькам и толкнул дверь. Она,
заворчав, поддалась. Он оказался в просторных
сенях, где на газетах, разостланных по всему
полу, сушились цветы и коренья, поэтому запах стоял, как в лесу. Окошка здесь не было, и
в полумраке неясно белели все те же ромашки,
которых он столько убил по дороге. Сбоку была еще одна дверь, и Зверев постоял секунду,
раздумывая, можно ли постучаться, но дверь
отворилась, и выросла женщина.

Ведь он думал как? Все на свете — сценарий. Идешь вот по улице и ненароком вдруг
плюнешь на маленький радужный листик. Ты
думаешь, это ты просто так плюнул? Отнюдь!
Это тоже сценарий. Снимаем! Лежал себе листик, и шел человек. Он плюнул, попал ненароком на листик. Судьба их свела. Ненароком,
невольно, но ведь не поспоришь. Остался сей
листик немного жемчужным от горькой слюны,
в то время как беглый зрачок человека, ушед-
шего дальше, унес его образ внутри своей памяти. Конечно, пример, может, и не из лучших,

не самый изысканный, в общем, пример, но все же, но все же...

Пока Зверев шел по литовскому лесу, топча его травы, сбивая цветы, он так понимал и свою, и чужую — и прошлую, и настоящую — жизнь: сценарий. Один, другой, третий. Снимаем! Артисты готовы?

И вдруг что-то щелкнуло. Остановилось.

Выросшая на пороге женщина была высокого роста и крепкого стройного сложения. Тело ее четко обрисовывала длинная, но тонкая холщовая рубашка с сильно открытым воротом, в котором вспыхнувшие глаза фавна тотчас же увидели, где начинается высокая сильная грудь. Она не носила ненужный бюстгальтер, и грудь глубоко и свободно дышала под серою тканью. Соски проступали сквозь ткань и темнели. Он остолбенел.

— Извините меня, — сказал он смущенно. — Снимаем кино в заповеднике вашем, и вот заблудился. Гулял...

— Да тут не заблудишься, — с жестким акцентом сказала она. — Дорога тут рядом.

Большие янтарные бусы желтели на матовой шее.

— Красивые бусы, — сказал он игриво и сделал какой-то двусмысленный жест, как будто желая потрогать.

Она отступила на шаг. Глаза ее вдруг потемнели, и злоба наполнила их, как вода возьмет да наполнит глубокие впадины.

— Дорога налево. — Она отвернулась, словно брезгуя Зверевым. — Отсюда два шага, вы не потеряетесь.

— Нельзя ли попить? — Он стал прост и серьезен. — Брожу здесь, брожу... Словно заколдовали... Такой красоты я нигде не встречал.

Она усмехнулась.

— Нам тоже здесь нравится.

— Кому это нам?

— Нам с мужем. Живем здесь одиннадцать лет, и не скучно. Про город и не вспоминаем.

— Ну, город! — воскликнул он даже немного угодливо. — Какое сравнение с городом! Что вы! Я сам бы тут жил, и с большим удовольствием!

Она не ответила и посмотрела на грязные, в мокрой налипшей листве, его сапоги.

— Вы хотели попить?

— О, да, — сказал Зверев и вдруг оробел.

— Тогда вы разуйтесь, пожалуйста, — властно сказала она. — Я помыла полы.

Он начал стягивать сапоги и ужаснулся — на левом носке была дырка с кулак. В комнате, куда он прошел следом за нею, стыдясь звонкого шлепающего звука, издаваемого его голой, пролезшей в дыру, крупной пяткой, вся мебель была очень светлой, из дерева, и много хранилось народных изделий литовского непокоренного творчества.

— Садитесь, сейчас принесу вам попить, — сказала она, собираясь уйти.

— Зовут-то вас как? — спросил Зверев.

— Неждана, — сказала она и ушла.

Его прошиб пот.

— Вот здрасте! Неждана! Конечно, Неждана! Ведь разве я ждал, что наткнусь на такую!

Она через минуту вернулась с подносом, на котором стояли два кувшина: один, запотевший, с водой, а другой с молоком.

— Пожалуйста, пейте, — сказала она. — Вот кружка.

Он ей подмигнул:

— Выпьем с горя! Где же кружка?

Неждана нахмурилась, он замолчал. Налил себе в кружку воды, стал пить, но при этом уже не сводил с нее бешеных глаз. Мысленно он давно стащил с нее эту холщовую рубаху, давно повалил на кровать и теперь неистово гладил высокую грудь. Осталось немного — допить эту воду, взять женщину за руку...

— Спасибо, — сказал он и быстрым движеньем схватил ее за руку.

— Пустите, — негромко сказала она.

Он выпустил руку, но сердце забилось так сильно, что даже шум леса уже не был слышен.

— Идите отсюда.

— Мне можно вернуться? — спросил хрипло Зверев.

— Нельзя. Я сказала — идите.

— Вы сердитесь?

Он чувствовал даже отчаянье: женщина *хотела*, чтобы он ушел, и лицо ее, особенно эти глаза с их презреньем ему говорили об этом. Она не играла и не притворялась. Зверев прожил на свете сорок девять лет, но такого с ним никогда не случалось: крепкая душа его из всего извлекала если не выгоду, то хотя бы прямое удовольствие, а тут получилось, что нет ни того, ни другого, а нужно уйти. К Неждане тянуло его все сильнее. Не мог он уйти, его ноги не слушались.

Она уже дверь распахнула:

— Идите.

Красный и потный, он обувал свои резиновые сапоги, а женщина стояла над ним и равнодушно смотрела. Она видела и проклятую дыру на левой пятке, и неловкие движения его вдруг отяжелевших рук, слышала, как он сопит от напряжения. Зверев спустился по ступенькам, пошел, не оглядываясь, через молодую посадку елей. Навстречу ему шел невысокий коренастый человек с черными и короткими курчавыми волосами. Он понял, что это и был ее муж, лесничий, и он шел домой, то есть *к ней*. Они с режессером едва не столкнулись.

Лесничий приподнял картуз:

— Labas![1]

---

[1] Привет! (*лит.*)

Зверев хмуро кивнул. Нескольких секунд хватило, чтобы увидеть, что лесничий моложе его лет на пять или восемь, и крепок, как дуб, и, судя по этой спокойной походке, уверен и нетороплив. Он быстро представил себе, как лесничий ложится с ней ночью в постель, и она снимает сорочку спокойным движением. Потом он берет ее крепкое тело, ласкает ей груди. Его чуть не вырвало от омерзения.

Знаменитый режиссер и сам не понимал, что это вдруг накатило на него. Случался и раньше азарт — да какой! Смертельный, на грани почти что безумья, когда у друзей отбивал их подруг. И не уверяйте, что это есть подлость. Не хочется женщине, так хоть умри — она никогда ни за что не уступит. А если зрачки закатила под веки и попу отклячила, как негритянка, тогда бери смело: тебе предложили. Он именно так поступал — шел и брал. Однажды увел с собой даже невесту со свадьбы, где был Михалков. Сидела в фате, кареглазая, скромная. И что? Ничего. Улизнули тихонько, уехали в Питер, там сняли гостиницу. Проснулись, и кончилась сказка. Сценарий был короток, неинтересен. Невеста от всех пережитых волнений весьма подурнела, от ног ее пахло: наверное, туфли ей были малы. Он сам попросил Михалкова вмешаться. Никита смеялся до слез. Утряслось, и Зверев забыл о дурацкой истории. Случались, конечно, серьезные встречи, и даже (нечасто!)

мелькала любовь, хотелось уюта, тепла, ребятишек... Но все это мельком, невнятно, случайно. Сегодня вот хочется, вынь да положь! А завтра проснешься и — ну вас всех в баню! Куплю-ка себе лучше зимний пейзаж. Мети, мети, вьюга! Пой песни, ямщик!

Съемочная группа была очень удивлена, узнав, что весь отснятый материал не годится. А стало быть, в светлом литовском лесу придется остаться еще дней на пять. Охотничий терпкий инстинкт подсказал, что если и будет победа над этой весьма вкусной дичью с ее янтарями, с глазами наглее, прозрачней и глубже, чем все эти их водоемы литовские, то это случится не скоро, не завтра, и времени нужно побольше, побольше! Зайти надо с разных сторон, не спешить, а как только вынырнет эта русалка, как сядет погреться на камень зеленый, так тут готовь невод и не промахнись.

Поэтому он и сказал коллективу:

— Снимать будем заново, не получилось.

Вместо пяти дней задержались на всю неделю. Работали, много купались и пили. А вечером пели. Все как полагается.

Зверев сообразил, что застать ее одну можно только в первой половине дня. Лесничий уходит смотреть за хозяйством. Он не стал раздумывать: поехал в городок, зашел в ювелирный магазин. Выбрал золотые серьги с маленькими рубинами. Засунул коробочку в куртку. Неждана была в огороде, полола. Он так и застыл. В косынке вишневого темного цвета, а из-под косынки коса до земли. Рубашка белее, чем снег. Солнце светит на голые руки, на статные плечи. Он остановился, окликнул. Нахмурилась.

— Опять вы?

Акцент еще жестче, глаза еще злее.

— Смотрите, — сказал он, смеясь. — Нашел вот сейчас на дороге.

И жестом, немного смущенным, но быстрым, отдал ей коробочку. Она посмотрела на серьги и тут же вернула, едва ли не бросила:

— Уйдите отсюда и не приходите.

Он спрятал покупку обратно в карман.

— Неждана, ведь я режиссер, я художник. Нельзя же ведь мне запретить любоваться...

— Уйдите, а то я собаку спущу.

Она закусила губу, побледнела.

— Неждана! Да что я вам сделал?

— Уйдите.

И резко стянула косынку.

— Уйду, — сказал тогда Зверев. — А завтра вернусь.

Она подняла свои светлые брови.

— Зачем?

— Посмотреть на тебя.

— А я не картина, — сказала она. — И нечего вам тут разглядывать. Нечего.

— Ну, это я сам уж решу.

Она промолчала.

— Неждана, — сказал он. — Ну, голову я потерял. Что мне делать?

— Найдете! Уйдите отсюда.

— Ты мужа боишься?

Опять промолчала. Потом повернулась, пошла тихо к дому, косынку свою волоча по земле.

Съемочная группа томилась бездельем, ждала режиссера. А он возвращался под вечер, косматый, с горящим лицом и больными глазами. Она его и на порог не пускала.

Утром, перед отъездом, Зверев зашел проститься. Все дома забудется. Хватит. Он знал, что он скажет: желаю вам счастья, случится в Москве быть, я к вашим услугам.

Она развешивала белье на веревки, натянутые между соснами. На фоне молочно-густой синевы и солнца, янтарного, как ее бусы, надутые ветром и свежестью простыни напомнили парусники.

— Я скоро вернусь, — вдруг сказал он с угрозой.

И сам удивился.

Она засмеялась:

— Нет, вы не вернетесь.

Он сделал к ней шаг:

— Я вернусь.

— А зачем?

В глазах потемнело. Схватил ее за руки.

— Пустите, — сказала она.

— Не пущу.

Лицо ее было впервые так близко.

— Поедем в Москву! — зарычал рыжий фавн.

— Зачем мне в Москву?

— Ты мужа так любишь?

Она усмехнулась:

— Совсем не поэтому.

— А почему?

— Какое вам дело?

Он крепко прижал ее руки ко рту.

— Такое, что я не могу без тебя.

Сказал то, что чувствовал.

Когда он через несколько минут, даже и не простившись с нею, вышагивал по вздрагивающим под его ногами сучьям и птица какая-то словно дразнила его в вышине «у-ю-ють!», «у-ю-ють!», Звереву захотелось подойти к любому дереву и изо всей силы удариться лбом в его ствол. Должна же быть боль такой силы, какая поможет ему одолеть вот эту, отвратную, мутную, злую, — не боль, хуже боли: тоску. Он мог бы, наверное, справиться с болью. Ну, что? Поболит и пройдет. Но с этой тоской, непрерывной, сосущей, которая даже ночами, во сне, его изводила, — вот с нею как быть? Сосет и сосет так, что не продохнуть. Он, главное, не понимал, как же это? Все было отлично: квартира, работа... Марина, в конце концов! Канны, медаль... И вдруг все как в пропасть! Рррраз! И пустота. Одни эти бусы на матовой шее. Он лег прямо в траву и принялся думать. Ни внешность ее, ни ее непохожесть на всех остальных, ни ее неприступность такой тоски вызвать в душе не могли. Нет, что-то другое случилось, ужасное. Как будто он вдруг тяжело заболел. Увидел ее и лишился рассудка.

Вернувшись в Москву, Зверев первым делом позвонил Марине. Она прилетела, конечно. Он начал ее раздевать, зацеловывать. Тоска не ушла. А когда через час Марина заснула, — вся влажная, светлая, ресницы в счастливых слезах, — он дал себе волю: увидел Неждану в вишневой косынке. И это движенье, которым она спокойно поправила бусы на шее.

Глава девятая

БЕДНАЯ ЛИЗА

С первого дня семейной жизни Лиза поняла, что ее мужа привлекают исключительно яркие и особенные женщины. Она же была неброской и несколько даже в себе неуверенной. Но с этим теперь предстояло бороться. То, что он обратил на нее внимание и женился, казалось ей случайностью, которую он, спохватившись, исправит. Тогда она стала играть, как играют актрисы на сцене. Проснувшись всегда очень рано, бежала скорее и красилась. Саша не видел ее без косметики, спал. Открывши глаза, удивлялся: одета, причесана, на каблуках. Не то что другие супруги: в халатах неновых, в замызганных платьицах! Она приглашала гостей, чтобы Саше хотелось домой, заводила знакомства, у них собирались поэты и барды, и их приглашали: чудесная пара. Она не давала ему заскучать. При этом сама одевалась так стильно, как будто работала с Зайцевым, Славой, а может быть, даже с Исайей Мизрахи, живущим в Нью-Йорке. Читала все книги и всю на них критику, потом обсуждала их с мужем. Писала романсы. И пела их вместе с одним колоритным знакомым — монахом, который недавно покинул обитель. Потом оказалось, что певчий послушник бежал правосудия, прятался. Но это потом оказалось, не сразу. Короче, вся жизнь стала сценой, и Лиза затмила собою Ермолову.

Несмотря на это, Саша ей все-таки изменял. Вокруг утешали:

— Терпи, пусть гуляет. Порода такая у них, кобелиная.

Терпеть было больно и невыносимо. А главное, — да объясните же мне! — чего ему нужно, мерзавцу, предателю? Культуру? Да ты мне найди дом культурней! Вон Сартр стоит, вон Камю, вон Цветаева! Идешь в туалет — выбирай и читай! И в консерватории блат, и в Большом! А в спальне устроила все как в журнале. Кровать больше, чем ипподром, на подушках написано красным: «А ну, докажи!» Ведь просто как кровью написано, кровью! Ее, разумеется, Лизиной кровью. Однажды сняла даже дачу в Барвихе. Устроила праздник Ивана Купалы. Костер был до неба. Все выпили, прыгали. Бочком, правда, но хохотали до колик.

А он изменял. И она уставала от этих измен, и сникала, и плакала. Потом поняла: никуда он не денется. Дом — это святыня, жена — это крепость. Почти успокоилась.

Зря успокоилась. Пока он гулял, это были «цветочки», а «ягодки» ждали ее впереди. Не ягодки, ягодищи чернобыльские, клубника размером с огромный арбуз. Та самая Зоя, которую Лиза всегда приглашала, поила-кормила (у Зои был муж, неплохой пианист!), осталась вдовой. Ходит в черном, бледна, и дочка-подросток с тяжелым характером. И Лиза своими руками, сама послала его «успокаивать» Зою. Конечно, без дьявола не обошлось — не Лиза послала, ее подтолкнули. А тот, кто ее подтолкнул, он к тому же ее ослепил, оглушил, не оставил ни капли простого и здравого смысла.

Пошел успокаивать и полюбил. И Лиза в конце концов все поняла. Глаза его стали такими, как будто его лихорадит, он заболевает. Она поняла вопреки его нежности, которой он начал ее окружать, подаркам, которые он ей дарил, всем знакам внимания, в том числе шубе, которую вдруг ей купил на Тверской, хотя она даже не очень просила. Зализывал ей языком лживым раны, на все соглашался. Его лихорадило.

А Лиза металась, не знала, что делать. Сказать ему прямо в лицо или ждать? Сама один раз испугалась себя, когда он пришел — а лето, жара — на белой рубашке был след поцелуя. Помада растаяла, и этот след казался припухшим, как женские губы. Она подошла и рванула рубашку, открыла плечо:

— Целовали тебя? А я укушу прямо в это же место! Посмотрим, что ты запоешь!

И он отскочил. Не то чтобы так уж боялся укуса, но так удивился, что сразу стал белым в такую жару:

— Что с тобой?

— Со мной все в порядке! А что вот с тобой?

Он тут же ушел, хлопнул дверью. Напялил в прихожей какую-то куртку. Она прорыдала часа три подряд. От слез отупела, сидела, икала. В двенадцать вернулся.

— Ну, ты успокоилась?

Она посмотрела затравленно, жалко. Ведь он может просто уйти. Насовсем.

В постели вела себя хуже, чем шлюха. Но он, видно, зол был: простил, но не сразу.

С тех пор так и жили: семья — не семья. А проще сказать, так, как многие семьи. По-прежнему гости у них собирались, по-прежнему их звали в разные гости, по-прежнему ездили летом в Пицунду, а как наступали морозы в Москве, жена надевала дареную шубу.

— Она вам так, Лиза, идет, просто прелесть!

— Еще бы, ведь муж подарил, от души! Ты помнишь, как ты подарил эту шубу?

— Да я тебе шуб этих столько дарил!

— Но это ведь первая, Саша! Ведь первая!

И так прошли годы. Она притерпелась, но внешне. А сердце ее разрывалось. Подруга постарше (не замужем, с сыном!) сказала, что Лизе так долго не выдержать.

Сидели на даче в одном гамаке. Подруга курила, а Лиза молчала.

— Тебе нужна помощь, — сказала подруга.

Белели березы, на небе ни облачка.

— Пойдем к Ибрагиму, — сказала подруга.

— И что он мне сделает?

— Хуже не сделает.

Она понимала, что больше не может. Ночами, когда он лежал с нею рядом, закинув лицо, и оно проступало в прозрачном струящемся свете, в котором заметны головки задумчивых ангелов, — в такие минуты несчастная Лиза боялась того, что с ней происходило. Она становилась все злее и злее. А разве есть в злобе какой-нибудь смысл? Ведь это — еще одна форма страдания. И чем злобы больше, чем гуще она и цветом чернее, сочнее и жарче, тем и безысходней страдание.

Подруга, растившая сына одна, была не брезглива. Ни связями в лифте, ни в зимнем лесу, ни тем, чтобы ночью, в купе, когда мчишься куда-нибудь в Тверь, вдруг отдаться чужому, который случайно с тобой рядом мчится, — ничем перечисленным эта подруга не пренебрегала. Но кто ей судья? Заблудшая женщина! Что будет с сыном, когда он — дай Бог ему — вырастет тоже? Наверное, сразу пойдет по стопам своей неразборчивой матери. Впрочем, он, может быть, и не пойдет по стопам. А может, он станет биологом даже. А может быть, микробиологом. Это, наверное, проще, а платят не хуже. Но как бы там ни было, эта подруга, растившая сына одна, давно знала известного мага, целителя разных душевных и даже телесных болезней. Она и свела его с бедною Лизой.

Ибрагим занимал весьма странное помещение почти что под самою крышей и жил с близким другом, танцором, который вел все их хозяйство, в то время как сам Ибрагим на улице мог находиться лишь ночью. Дневной свет ему почему-то мешал. (Черта, кстати, странная и неприятная.) Сам дом был при этом печально известным, стоял над рекою, глядел ей на дно, и много случилось за этими стенами, когда никого еще — ни Ибрагима, ни друга-танцора, ни Лизы — на свете не существовало, а были другие какие-то люди и трудности. Мало кто обращал внимание, что под самою крышей этого знаменитого дома есть что-то вроде чердачного, но вполне благоустроенного помещения, в котором уже когда всех, кого можно, убили и вывезли снизу, из славных квартир их, устроились новые люди: танцоры, художники и колдуны. Они служат только искусству, их ноздри не чувствуют запаха крови нисколько.

Поднявшись сперва на лифте до самого последнего этажа, увидели обе взволнованные женщины маленькую лестницу, ведущую словно бы прямо на небо. Подруга была здесь своим человеком, поэтому, быстро схвативши за локоть совсем побледневшую Лизу, взлетела наверх по ступенькам, как хищная птица. Открыл им танцор, томный, крошечный, тонкий. Он был в тренировочных черных штанах, босой и без майки. Бросался в глаза педикюр на танцоре, такой спело-красный, как будто по полу рассыпали ягоды. Глаза у танцора казались большими от темно-лилового карандаша, и он улыбался приятно и радостно.

— К тебе, Ибрагим, — произнес он красивым, вполне, впрочем, женским и чистым сопрано.

Окна были завешены шторами с красными и синими разводами, поэтому дневной свет, хоть и стремился проникнуть в эту огромную, с низким потолком, комнату через оставленные кое-где щели, дробился и прыгал, как будто пытаясь спастись от кого-то. Все пространство было завалено большими восточными подушками, на многих светились и камни, и золото, и серебро. Во глубине помещения прямо на полу лежал огромный матрац, застеленный тоже очень красивыми и богатыми восточными покрывалами. Окно было плотно закрыто, но всюду наставленные вентиляторы гоняли туда и сюда теплый воздух. На зеркале, тусклом, большом и овальном, горели пронзительно мелкие лампочки, — так, словно в квартире все время справляют не то Новый год, не то свадьбу. Но, кроме того, поднимался от пола томительный запах восточных курений: везде были вазочки, вазы, кувшинчики, из них-то и шел этот запах.

— Сейчас он придет, подождите.

И танцор прищелкнул слегка двумя хрупкими пальцами.

За пестрыми ширмами, отгораживающими часть комнаты, храпел человек, не открытый для взглядов, слегка бормоча внутри влажного храпа. Но что бормотал, было не разобрать. Прошло минут десять-двенадцать. В конце концов ширмы раздвинулись. Увидев того, кто сейчас ей расскажет, чего ожидать и кого опасаться, несчастная Лиза так и подскочила.

Неподвижное лицо Ибрагима, насаженное на длинную, немного в пупырышках, шею, не выражало ровным счетом ничего и, честно сказать, было словно бы мертвым. Густые и гладкие черные волосы ложились на плечи и их укрывали своими блестящими жесткими прядями. Он тоже был бос, но бескровные пальцы без всякого педикюра казались какими-то слишком уж грязными, будто колдун и по улице тоже гуляет босым, как веселый крестьянский ребенок.

Минуты две Ибрагим, не шевелясь и не произнося ни слова, смотрел Лизе прямо в глаза. Потом велел сесть на большую подушку. Потом аккуратно зажег две свечи, по-прежнему молча и очень серьезно. Потом достал карты, такие же грязные, а может быть, даже грязнее, чем ноги. Движенья его были тихими, ровными.

— Смотрите сюда, — вдруг сказал Ибрагим с развязным и сладким молдавским акцентом. — Вы видите эту червонную даму?

И он указал подбородком на карту, где правда была нарисована дама.

— Я вижу, — сказала испуганно Лиза.

— Она хочет вашего мужа покушать, — еще слаще сказал Ибрагим.

— Как это — покушать? Что значит «покушать»?

— А вот как! — И он сделал «ам!» как делают детям. — Вот так и покушать. Проглотит, и все.

— Нельзя ее как-нибудь... ну, обезвредить... — У Лизы затылок наполнился болью.

Но он замолчал и опять неподвижно смотрел ей в глаза.

— Браслетик на вас, — прошептал он печально. — Вы знаете, кто был хозяин браслетику?

— Да мама моя, от нее мне досталось...

— Ай, что вы сказали! При чем же тут мама! До мамы-то кто был хозяин браслетику?

— Откуда я знаю? И что мне до этого?

— Так я вам скажу, что хозяйкой браслетику была одна женщина из... — Он запнулся. — Так дайте поближе взглянуть, дайте, дайте!

Она протянула запястье. Колдун очень ловко снял старый массивный браслет.

— Хозяйкой была одна дама из Киева, жила на Крещатике в собственном доме. Сама у себя отняла свою жизнь, повесившись ночью в шкафу на подтяжках.

— Подтяжках? — почти вскрикнула Лиза.

— Подтяжках, подтяжках, — кивнул Ибрагим. — Взяла она эти подтяжки и тут же... — Он изобразил, как повесилась дама. — Браслетик при этом с себя не сняла.

— А я-то при чем? — Лиза вся побелела

— Ах, что же вы, дама, такая невнятная! — с досадой сказал Ибрагим. — Это ж золото! На нем сохраняется прошлая карма! А что, вы не знали, как карма работает? Тогда объясняю. Смотрите сюда.

И он пододвинул опасный браслетик.

— Несчастия дамы, какая повесилась, пошли прямо в этот металл. Вы глядите! Тут золота — тьфу! На колечко не хватит! А тяжесть какая? Потроньте, потроньте! Вот сняли вы кофту и в воду засунули. Она была легкая вещь, а вы выньте! И будет тяжелая вещь. А тут вы сама себе тяжесть навесили. Так что я могу вам помочь?

— Ну, хоть что-то...

— Могу поработать. — И он с отвращеньем взглянул на браслет. — Обезвредить попробую. Однако обратно носить не советую. И так он вам много наделал несчастьев. Его лучше в землю зарыть. Спокойнее.

— Прошу вас: заройте его лучше в землю! — воскликнула Лиза.

— Смотрите сюда. — Он придвинул ей карты. — Вот этот король, — он и есть ваш супруг.

Лиза всмотрелась в перепачканного неаккуратными пальцами Ибрагима краснощекого короля и точно узнала в нем Сашу. Он был очень важен, кудряв и в короне.

— Так я зажигаю ему эту свечку. — Ибрагим осветил короля Сашу пламенем свечи. — А это вот ихняя дама. — И он указал подбородком на даму. — Так я ей гашу эту свечку. —

И он погасил. — Теперь беру вас. Вы трефовая дама. — И он достал карту с какой-то смуглянкой. — Сначала я делаю так: я гашу об вас свечку. — Он быстро задул. — А теперь зажигаю. Об вас зажигаю. Глядите, глядите!

Но Лиза уже не следила за ним. Ее голова перестала болеть и сладко кружилась от запаха этих восточных курений, смешавшихся с запахом русского воска. А сладкий певучий молдавский акцент звучал в ушах нежно, как райская музыка. Ровные и тихие движения Ибрагима клонили ко сну, и покою, и неге.

— Беру и гашу, — бормотал Ибрагим, — беру, зажигаю... Потроньте! Потроньте! Червонная дама уже вся холодная, трефовая дама уже вся горячая. Король должен выбрать. Потроньте его!

Лиза не выдержала и закрыла глаза. Ибрагим замолчал и внимательно посмотрел на нее. Браслет он куда-то убрал.

— Я все уже сделал. Нельзя сразу много. А то он не выдержит, хилый попался. — И Сашу прищелкнул несвежим ногтем. — С браслетиком вашим еще повожуся, а вы повторяйте за мной: «Месяц ты месяц, серебряны рожки, золотые ножки. Сойди, месяц, с неба, принеси мне хлеба, а взамен унеси хворь мою под небеси. Не грызи ты у меня, рабы Божьей Лизаветы, ни крови, ни тела, ни костей и ни мозгов, а грызи ты кровь, и тело, и мозги грызи для дела у разлучницы моей, дамы чертовых червей, от которой слезы лью, а тебя благодарю. Кто из лугу травку выщипет, кто из речки воду вычерпнет, пусть того она, проклятая да сопатая, кудлатая, пусть того себе берет, моего мне отдает!»

Быстро произнеся этот набор не всякому понятных слов, Ибрагим откинулся на подушках и закрыл глаза. Из-под ярко-черных волос по гладкому смуглому лбу его маслянисто потек пот.

— Он в трансе, он в трансе, работа тяжелая, — забормотал откуда-то вынырнувший танцор с красивым педикюром и подхватил Ибрагима под мышки. Тело колдуна почти повисло на маленьких, но мускулистых руках преданного друга. — Ему нужно спать, нужно восстановиться...

Лиза почувствовала, что, если бы и ее подхватили вот так же и поволокли куда-нибудь «восстановиться», она бы ни словом не возразила. Уложив Ибрагима за ширмами и поворковав над ним, танцор вернулся к женщинам со строгим печальным лицом.

— И так вот вся жизнь: ничего для себя, а все на износ. Попрошу расплатиться.

Лиза испуганно достала из сумочки заранее приготовленный конверт с деньгами.

Танцор строго пересчитал деньги.

— Придете в четверг, с вами много работы. А вы, — он сурово взглянул на подругу, — придете во вторник. За вами должок: вы ладонку взяли, а не заплатили.

— Ой, я принесла! — испугалась подруга. — Ой, вот они, деньги! А ладонка — чудо!

— А вы сомневались? — вздохнул он всей грудью.

На лестнице, ведущей вниз, к лифту, Лиза вдруг горячо разрыдалась.

— Выходит! Выходит! Тоска вся выходит! — сказала подруга и тоже сморкнулась. — А ты мне не верила! Дай ему, Господи!

С этого дня для Лизы началась новая жизнь. Деньги на эту жизнь нужно было откуда-то доставать, и она начала потихоньку избавляться от тех книг, которые еще представляли хоть какой-то интерес в букинистическом. Саша, будучи поглощенным развратной разлучницей Зоей — «серебряны рожки, золотые ножки», — отнюдь ничего не заметил — какие тут книги! Потом в антикварный уехал сервиз, оставленный Лизиной мамой и, может, вобравший в себя тоже карму. Входя в положение преданной женщины, колдун иногда брал не деньги, а золото, которое все обезвредил и спрятал в таинственных недрах земли.

Работа, проделанная Ибрагимом, не прошла, судя по всему, даром, поскольку на лице у Саши начала все чаще и чаще появляться тревога, а однажды случилось так, что, проснувшись посреди ночи с целью произнести заветное одно заклинание, только что полученное от Ибрагима, Лиза с испугом обнаружила, что неверного спутника жизни нет рядом в кровати. Она не стала нарушать строгих правил и, пробормотав: «Летит ворон через море, несет нитку-шелковинку, нитка, нитка, оборвись, ты, кудлатая, уймись», побежала в кухню, где и увидела его, торопливо листающего толстый справочник «Советы начинающему психиатру». Вид у Саши был при этом отнюдь не романтический, и кабы разлучница Зоя застала героя таким, как он был, в трусах и лохматым, с дрожащими пальцами, то, может быть, и перестала бороться за этого, в общем, чужого ей мужа.

— Лизочек! — сказал ей неверный. — Лизуша! Я вот что подумал: поехали в Ялту.

— Декабрь на дворе. Что ты в Ялте забыл?

Но сердце забилось в груди: ишь ты! В Ялту! А эта-то как же, кудлатая наша?

— Ну, можно не в Ялту, а где потеплее. Вон в Турцию многие ездят. Не хочешь?

— Сперва ты мне вот что скажи: ты с ней спишь?

Он побагровел.

— Лиза, это все сплетни!

Ах, нет! Ибрагим говорит: пока не покается, не поклянется, до тех пор не верить.

Она взяла в руки цветочный горшок:

— Ешь землю, раз сплетни! Кому говорю!

— Ты что, не в себе?

— В себе, даже очень! А ну, ешь сейчас же!

Горшок поднесла к его бледным губам. Он весь передернулся:

— Лиза! Ты что?

— А ну, отвечай мне! Ты спишь или нет?

— Конечно, не сплю. Да с чего ты взяла?

— А если не спишь, так вот ешь землю, ешь!

— Не буду! Оставь! Отпусти, я сказал!

— Так, значит, ты спишь!

И швырнула горшок с малиновой, нежно цветущей геранью ему в переносицу. Он увернулся. Горшок, разумеется, вдребезги.

— Лиза-а-а! Ни с кем я не сплю-ю-ю!

Рассвета едва дождалась. Спина полыхала, как будто бы всю исхлестали крапивой. Помчалась на первом метро. Пришлось долго ждать: Ибрагим отдыхал. Но в десять ее допустили.

— Ну как? — спросил Ибрагим.

— Не верю глазам. На себя не похож! Внимательный, нервный. И дома сидит. Она обрывает нам весь телефон, а он не подходит. Уж я говорю: «Да кто это нам все звонит и звонит?»

— Послушайте, дама, а сколько вам лет? — спросил Ибрагим.

— Мне? Много! Мне за пятьдесят.

— А вы не хотите родить?

— Что родить?

— Не что, а кого — пацана или девку.

Она так и ахнула:

— Я же пыталась... Не вышло. Врачи говорят: не судьба...

— «Врачи говорят!» — разозлился вдруг маг. — Они мне тут поговорят! Кольцо принесли?

— Принесла, принесла!

Он взвесил кольцо на ладони: сойдет.

— Смотрите сюда: вы родите ребенка. А лучше двоих. Да, двоих — это лучше.

— Ах, я с удовольствием! Только вот как?

— Как дети рожаются? Из живота! Скажите супругу, мол, я за тобой ужасно скучаю. Мол, невмоготу. А если он скажет, что не в настроении, так вы тогда смейтесь с него. Мол, смешно — здоровый мужик, а приходится клянчить. Вы поняли, дама?

— Да, я поняла, — встревожилась Лиза. — А если не выйдет?

— Чему там не выйти? — спросил Ибрагим.

И прав был — все вышло. Затравленный Саша готов был на многое.

Через неделю Ибрагим сообщил Лизе, что у нее будет двойня. Проверять слова Ибрагима в поликлинике было бы такой же нелепостью, как заново звезды на небе считать. Уже сосчитали — так что беспокоиться?

Не подозревая ничего дурного, Лиза сообщила счастливую новость Саше. У Саши вытянулось лицо, и зрачки наполнились ужасом.

Не обращая на это внимания, она сказала, что все равно собиралась выходить на пенсию. Времени свободного будет много, и она займется детьми. У Саши запрыгали руки.

— Лизуша! — сказал он. — Родная! Пойдем лучше к доктору! На консультацию...

Она усмехнулась презрительно. К доктору? А доктор зачем? И на следующий день купила коляску для двойни. А ночью приехала «Скорая» и увезла еще не родившую прямо в психушку.

Очутившись среди больных людей и пройдя через кучу унизительных медицинских допросов, она догадалась, что ей остается одно — ждать свободы, но молча. Иначе до смерти не выпустят. Одна мысль, что ей придется остаться здесь навсегда, приводила Лизу в состояние ужаса и бешенства, но успокаивающие и затормаживающие лекарства, которые ей самыми разными способами заталкивали и вводили в организм, начали приносить некоторую пользу: она стала явно спокойнее и погрузилась в ту светлую тайну, которая в ней, в ее теле, сейчас совершалась. Одно только это имело значение.

Раздевшись догола в общей ванной комнате, где мылись по очереди: сперва — дамы, как их называл Ибрагим, а потом — мужики, она с восхищеньем глядела на свой выступающий острый живот, в котором, как ей обещал Ибрагим, готовились к жизни детишки. Однако прошел целый год, и никто не родился. Она заметалась. Спросить бы его! Но как? Ведь даже звонить они не разрешают! Живот вдруг стал меньше, потом еще меньше, в конце концов вовсе опал и весь сморщился. Она догадалась, что дети убиты. Врачи их убили своими лекарствами.

Морозной лунной ночью за два дня до Рождества Христова Лиза, сутулая и худая, вся в легких морщинках, с глазами чудесного темного цвета, такого глубокого, что в них утонешь, вдруг встала с кровати и быстро шагнула к окну. На окне была вся обросшая снегом решетка. Но небо, огромное небо в обилии звезд, готовящихся засиять в Рождество так ярко, что снег (если будет вдруг снег) пойдет серебром с высоты и земля вся станет серебряной, — небо ее заметило через решетку.

А дальше случилось то, что на языке врачей называется ремиссией. Ни один из них, разумеется, так и не догадался, что послужило причиной к внезапному перелому в состоянии пациентки. Болезненный восторг ожидания родов, который был вызван навязчивым бредом, год назад охватившим заболевшую женщину, уступил место тихой и глубокой печали, отчего бледное и удлиненное лицо ее стало немного похожим на средневековые лица итальянских святых. Она уже не говорила о том, что лечение, которое было направлено исключительно чтобы помочь ей выкарабкаться из тяжелейшего недуга, убивает внутри ее этих никогда и не существовавших зародышей, не спорила со специалистами, не требовала, чтобы ей сообщили дату, когда она сможет уйти домой, — она стала тихой, почти что бесшумной. И речь ее стала другой, и взгляд, и походка. Муж пациентки, человек интеллигентный и издерганный, с лицом, до сих пор привлекающим женщин, с широкой, весьма моложавой походкой, заметил ее перемены и спросил у ведущего врача, какое именно лекарство так благотворно подействовало на неустойчивую психику жены. Врач удивленно развел руками и, будучи весьма неглупым, поделился своими огорчениями относительно того, что в медицине вообще, а в психиатрии особенно, слишком много загадок.

— В старину бы сказали, что бес трепал, трепал, да отпустил, — мрачнея, сказал наблюдательный врач. — И были бы правы. Поскольку и те, кто лечил пиявками, и мы знаем, в общем, почти то же самое.

И вдруг улыбнулся покорной улыбкой.

Никому не пришло в голову поговорить с самой Лизой, которая, если бы ее спросили о причине внезапного улучшения, не стала бы скрытничать и отпираться. Хотя объяснить простыми человеческими словами, что, собственно, произошло с ней в ночь незадолго до Рождества, было очень непросто. Она отлично помнила, как стояла у окна и не могла оторвать глаз от блистающего звездами неба. Помнила она и ту секунду, когда небо вдруг целиком обратилось именно к ней и как-то особенно отзывчиво просияло. Тут не могло быть ошибки, потому что между Лизой, спрятанной за больничной решеткой, одетой в нелепый халат на завязках, обутой в нелепые дряхлые тапки, больной, исхудавшей, и этими звездами исчезли преграды. А раньше казалось: куда ей до неба! И всем, кто здесь рядом бредет по земле, и падает очень усталым лицом на мокрую изморозь, всем, кто не знает, проснется ли утром, не бросил ли муж, жива ли жена, не убили ли сына, — всем тем, кто родился в один с нею день, и тем, кто родился на двадцать лет позже, — короче, всем этим родным существам, какие не знают родства и не помнят, — куда им до неба! Зачем они небу? Пришли из земли и вернутся в нее.

Правы те, которые сомневаются, что мучающая даже и беспечных людей, если они хоть раз задумаются об этом, тайна нашего здесь пребывания всегда открывается только успешным и только здоровым, практичным умам. Они как-то так расправляются с этим, что тайна сама растворяется — нету! Была вот вода, и в воде этой жили какие-то мелкие очень моллюски. Потом с эволюцией и в результате ужасного взрыва вдруг все поменялось. И стало полно динозавров. Досадно, что больше ни одного не осталось. И мамонтов ни одного. Все померзли. Чего вдруг померзли несчастные звери? А холодно было, одни ледники.

Увы! Открывается тайна не этим любителям быстрых и точных ответов, а людям, подобным больной бедной Лизе, которые, стоя за мерзлой решеткой, глядят в бесконечное небо и плачут.

Лиза почувствовала, что если ее и жалеют, то это не здесь, где испуганный Саша приносит ей сморщенных яблок в пакете, а там, где блистает, струится, откуда с любовью глядят на нее с высоты. Одиночество, которое она испытала и в детстве, и в молодости, и особенно потом, когда вышла замуж и убедилась, что Саше нужна не она, а другие, само и закончилось тою же ночью.

В палате, удушливо пахнущей, спали, разметавшись во сне, такие же, как Лиза, или подобные ей женщины, до конца или еще не до конца потерявшие рассудок, а в городе, снежном, притихнувшем городе, уставшие, спали другие, здоровые, и Лиза была им совсем безразлична. А Саше, который придет с золотистым пакетиком яблок и, может быть, гроздью сухого уже винограда, она была тоже почти безразлична. И так он измучился, хватит с него. Но ей уже не было страшно. Ведь дело не в Саше и даже не в детях, которых — увы! — нет и быть не могло. И Саша, и дети, а даже и внуки, и даже родители, бабки и деды, короче, все те, кто и были, и есть, и те, кого не было, все они — часть самой только Лизы, и всем суждено вернуться в ту землю, откуда их взяли.

Такой взгляд на вещи, пришедший внезапно, казалось бы, должен был сердце разрушить, но так получилось, что Лизино сердце, а лучше и проще сказать, что *душа* так вспыхнула небу в ответ, что больная заплакала и засмеялась сквозь слезы.

Блаженны все нищие духом! Больные! Блаженны калеки! Блаженны младенцы! Блаженны все те, кого гонят, сжигают в огромных печах, ставят к стенке, пытают! Блаженно сияние неба над нами, и дождь, насыщающий нас своей влагой, и снег, усмиряющий нашу гордыню! Поскольку мы — часть не земли, не песка, а этого неба и звезд его ясных.

Когда медицинский персонал убедился в том, что пациентка пошла на поправку, и ей сообщили, что не позже чем через месяц произойдет ее счастливое освобождение из больницы, Лиза немного испугалась. Здесь, где за решетками и дверями, подобно теням, бродили в халатах и тапках подруги ее по болезни рассудка, она была только одною из многих, которым при всех униженьях, уколах, лекарствах и окриках нянек, частенько нетрезвых, давали спокойно дышать, не тревожась, что нужно им быть не такими вот, в тапках, а теми, которые ездят в машинах и вечно готовы продать и предать. Она видела растерянность своего мужа Саши и понимала, что он стоит перед выбором: опять лгать, как раньше, и жить с этой Зоей или же порвать с Зоей и целиком посвятить себя настрадавшейся жене. И ей было жалко его. Совсем странным и совсем уже неожиданным было и то, что она вдруг поняла, насколько ей безразлично, обманывают ее или нет. Та боль, от которой она едва не погибла, вдруг стала как будто занозой, саднила, но с ней можно было жить дальше. Такая судьба, значит. Крест всех троих.

Дома, куда она вернулась в самом конце лета, стало неуютно. Саша все запустил, разумеется, везде была пыль, беспорядок. Но это все мелочи. Можно прибрать. Ее мучило другое: невозможность кому бы то ни было объяснить, что произошло с нею незадолго до Рождества и насколько важным оказалось то, что произошло с нею. Если бы она решилась поделиться с Сашей, он — по своему пугливому и осторожному характеру — немедленно побежал бы советоваться к врачу, а врач, уж конечно, нашел бы симптомы какой-нибудь новой душевной болезни. Подруги в сознании Лизы связались теперь с Ибрагимом и крошкой-танцором. А хуже периода не было в жизни. Всякий раз, когда Лиза мысленно притрагивалась к подробностям своего рабства и перед глазами ее появлялись золотые и бархатные подушки, красный педикюр на худощавых ногах, ленивые, полузакрытые глаза Ибрагима и слышался голос его, сладкий, липкий, — когда этот ужас опять, словно рвота, вдруг переполнял ее горло, она сжималась и даже махала руками, стараясь прогнать наважденье подальше.

Она уже знала, с кем ей поделиться. На первый взгляд это казалось абсурдом. За все эти годы борьбы, подозрений и, главное, муки стыда — смертной муки — они ведь ни разу не поговорили.

Глава десятая

НОНА ГЕОРГИЕВНА

Агата продолжала беседовать с Ноной Георгиевной так, как будто никакой болезни не было и в помине. При этом сама Агата была на сто процентов уверена в том, что Нона Георгиевна ничего не слышит и ничего не понимает. Трудно сказать, почему она была так уверена, но важно, что эта уверенность открыла простор для любых откровений. Прежде, когда Нона Георгиевна была здорова, Агата контролировала себя и высказывала не более половины того, что переполняло ее, а теперь, разворачивая маленькую, горячую и сухую куклу с неподвижными глазами и еще густыми, темным золотом отливающими волосами, протирая ее специальной жидкостью, жесткой расческой раздирая ее густые волосы, открывая ей рот и заталкивая в него ложку с жидкой пищей, она говорила без умолку.

— А я тебе, Нона, всегда объясняла, что дочь должна понимать, кто она. А так эта дочь все равно что соседка! Она же не знает, что ты ее мать! А это последнее дело. Конечно, когда мерзавец и подлец Аполлон сделал тебе ребеночка на сорок пятом году жизни, ты перепугалась. Но я говорила тебе: «Нона, слушай! Мы вырастим этого ребеночка, кем бы он ни оказался! Окажется девочкой, вырастим девочку, окажется мальчиком, вырастим мальчика! Ведь как ни крути, человек, к тому же армянских кровей! Аполлон — мерзавец и подлец, но он был хорошего рода, и мама его была очень доброй женщиной, и я помню их семью как свои пять пальцев! А ты стала как сумасшедшая, Нона! Тебе было стыдно коллег! Что они подумают! Что они могли подумать, Нона? Только то, что ты спала с мужчиной и от этого получился ребенок! Что нового они могли подумать? Это старо как мир! А то, что ты ученая женщина, не имело никакого отношения к тому, что у тебя в животе завелся ребенок! И то, что тебе сорок пять, не имело. Ведь доктор сказал тебе: «Нона Георгиевна! Плод очень большой и хороший. Смотрите: вот это головка. Лежит хорошо. Мы вынем его вам за десять минут. Носите спокойно». А ты? Что ты сделала, Нона?»

Нона Георгиевна открывала рот и старалась заглянуть Агате в глаза, но зрачки ее тут же уплывали под веки с такой сильной дрожью, что даже Агата терялась.

— Лежи, лежи тихо! Ты все равно ничего не слышишь, Нона! Ты заболела, но я не брошу тебя, и ты никогда не будешь ни в чем нуждаться! Сейчас ты поспи, а я выжму тебе апельсины, потому что ты ничего толком не поела сегодня, Нона, а сок восстанавливает силы.

Агата была так поглощена здоровьем Ноны Георгиевны, что почти не обращала внимания на то, что происходит с Мариной. Тем более ее совершенно не беспокоило то, что к двадцатилетней Марине почти каждый день приходит в гости черноглазый старшеклассник, сидит рядом с ней на диване, смешит ее всякими байками и глаз своих черных с Марины не сводит. Но Алеша, которого, в отличие от Агаты, интересовало только то, что связано с Мариной, видел, что она ходит сама не своя и поделиться ей не с кем, потому что в этом доме, где величаво командует домработница, а тетка лежит, как в музейной гробнице лежат только мумии, — в этом солидном, всегда чисто прибранном доме делиться не принято. Трудно? Всем трудно. Терпите.

А он всегда думал, что и в других семьях должно быть все так, как у них: скандалить, ругаться, бить с плачем посуду, а после мириться с таким наслажденьем, как будто бы за этим миром внезапным последует смерть. Здесь все было тихо, спокойно, с достоинством. Никто не кричал и не плакал. Зато очень четко обедали в восемь и каждый раз был новый свежий обед. Не то что у них. Здесь не разогревали.

Теперь, когда он сидел с ней на диване, она почти не сводила глаз с телефона, который звонил все реже и реже, далеко не каждый вечер, кусала губы, теряла нить разговора и сглатывала слезы. Помочь было нечем, лишь только пить чай с пастилой и вареньем и очень стараться ее рассмешить. Она иногда улыбалась с усилием, точеная грудь напрягалась под платьем, и жилка на длинной и тоненькой шее слегка розовела, как будто под кожей ее осветили свечой.

Был вторник, шестнадцатое ноября. Агата ушла, они молча сидели.

— Марина, — спросил он, — я вам не мешаю?

И тут зазвонил телефон. Она сорвалась так, что чуть не упала. Услышала то, что ей кто-то сказал, закрыла глаза и повесила трубку. Вернулась к Алеше.

— Вы знаете... я... Я устала сегодня, продрогла, болит голова. Я лягу, а то скоро тетя проснется. Простите, Алеша. Вам лучше уйти.

Он вдруг разозлился и страшно обиделся. Не пудель же он — то сиди, то уйди! Схватил ее тонкую длинную руку. Она осторожно ее потянула, стараясь его не обидеть. Он вдруг как ослеп: лицо ее смыло, оно расползлось, осталась лишь тонкая жилка на шее. Он к ней потянулся. Она отодвинулась. Тогда он почувствовал дикую силу, подобно которой ни разу не чувствовал, притиснул Марину к себе.

— Пустите меня! — закричала она. — Вы что, ненормальный? Пустите меня!

— Но я вас люблю! — застонал он. — Марина, я так вас люблю!

Она молча, яростно, вся покраснев, боролась с ним. Но он был сильнее, и когда Марина, не удержавшись, упала навзничь на диванную подушку, рухнул прямо на нее тяжестью своего крупного юношеского тела и обеими руками откинул назад ее голову, пытаясь поймать ее сжатые губы своими губами. Она как-то выгнулась вся и коленом ударила прямо в живот. Алеша опомнился. Сгорая от стыда и натыкаясь на стулья, он бросился в коридор, схватил свое пальто и кубарем скатился вниз по лестнице.

На холоде понял, что больше ее никогда не увидит. Но он не успел отойти далеко. Марина его догнала. Он застыл. Она подбежала в накинутом шарфе, прижалась к нему, обхватила его. Алешу трясло, он не чувствовал ног. Хотя, говорят, у собак в живодерне, когда их находит хозяин и клетку уже отворили, бывает подобное: собака дрожит и теряет чувствительность.

А тут и пошел первый снег на Москву. И все в ней разгладилось, все стало чистым.

Проводив Алешу до метро, Марина, вся в этом снегу, без пальто, вернулась домой. Из комнаты Ноны Георгиевны слышался стон. Марина над ней наклонилась. Нона Георгиевна беспокойно поводила глазами и все старалась приподнять левую руку.

— Попить? — прошептала Марина. — Пописать?

В столовой звонил телефон.

— Маришка, — сказал голос фавна. — Ну, ты извини. Я сволочь, конечно. Ты не заслужила. Ты только послушай. Я выпил немного. Хотя я не пью, ты ведь знаешь, Маришка. Она меня точно сожрет, кости выплюнет. А может, прогонит. Не баба, а викинг. Ей шкуру носить, на медведя ходить. Постой! Дай скажу тебе. Девочка, милая...

Язык у него заплетался.

— Ты слушай. Маришка! Ты здесь? Ты со мной?

— Не надо, — сказала Марина. — Ты все мне сказал, я уже поняла.

— Ты в смысле, что я... Ну конечно, подлец! Дай договорю. Я знаешь как думал? Работа, и все! А все остальное... Ну, что? Бабы, да?
Так баб — вон их сколько! Да ты не сердись!
А главное — это искусство! Работа! Искусство
важнее всего! И жил как дурак, и детей не за-
вел. Тебя вон профукал!

Марина молчала.

— А я ведь ее не попробовал даже! Не даст
ни за что! И ведь я это знаю!

Марина повесила трубку.

Болело внутри. Так болело, как будто ее всю
располосовали. Она осторожно легла на диван.
Опять тетка стонет. Нет, надо подняться, пойти, посмотреть на нее.

— Мне больно, — сказала Марина в подушку. — Мне больно ужасно. Я так не могу.

И встала, пошла. Нона Георгиевна смотрела на нее блестящими глазами. Лицо ее было
слегка воспаленным.

— Ва-а-а... — промычала она. — Ва-а-а та-а-а!

Марина пощупала лоб у больной. Он был
очень влажным, горячим и липким.

— Ва-а-а! — повторила больная сердито. —
Ва-а-а...

И, вся покраснев, подняла все же руку и
этой рукой показала на шкаф. Вернее сказать,
на его нижний ящик. Марина села на корточки
и выдвинула его.

— Та-а-а, та-а-а! — успокоилась тетка. — Ва-а та-а!

Марина догадалась, что она пытается сказать «вот там». В ящике было аккуратно сложено нижнее белье Ноны Георгиевны. Красивое и дорогое белье, слабо пахнущее хорошими духами. Но, кроме белья, ничего больше не было. Марина пожала плечами. Но когда она попыталась задвинуть ящик обратно, тетка замычала так гневно, с такою мольбой и угрозой, как будто она сейчас вскочит с постели. Марина поддела рукою белье, нащупала стопку бумаги.

— Те-е-е... — промычала больная. — Те-е-е.

Она говорила «тебе». На первом листе было слово «Марине».

— Те-е, те, те-е-е! — повторила Нона Георгиевна. — Те-е-е...

Марина задвинула ящик и стала читать.

Ты — моя дочка, — писала Нона Георгиевна. — Это я, а не моя младшая сестра Нателла родила тебя. Рано или поздно нужно сказать правду. Сейчас я решила так: при моей жизни ты сможешь прочесть это только в том случае, если я почувствую, что тебе плохо и ты нуждаешься в моей помощи. Тогда ты должна знать, что с тобой рядом не тетка, не старая родственница, а самый родной и близкий тебе человек. Если этого не произойдет, то Агата все знает, и она передаст тебе это письмо сразу после моей смерти.

— Ты-ы-ы! — замычало с кровати. — Ма-а-а! Ты-ы-ы!

Марина оглянулась, посмотрела на Нону Георгиевну невидящими глазами и продолжала читать.

У меня было много мужчин, но я ни разу не забеременела и поэтому в сорок пять лет перестала предохраняться. Твой отец — полное ничтожество, бездарный, трусливый человек и очень плохой художник. Теперь я и сама не понимаю, как я могла увлечься им и даже переживать, что он меня бросил. Но если бы он не бросил меня, я бы бросила его сама через полгода, даю тебе слово. Все вокруг говорили, что он красавец, что в нем много породы. Возможно. Но мне всегда было наплевать на его породу.

В каждой строчке Марина узнавала прежнюю, жесткую и лаконичную интонацию Ноны Георгиевны.

Я не стала говорить ему о своей беременности, потому что отношения наши уже оборвались к тому времени, когда врач сказал мне, что я жду ребенка. Он уехал в Тбилиси, и больше я его не видела. Мне сказали, что через пару месяцев он женился и у него с этой его женой были дети. Правда это или нет, я не знаю. Не знаю даже, жив ли он. Могу тебе только сказать, что я ни на секунду не пожалела о том, что мы расста-

лись. Когда мне сказали, что я жду ребенка, я, может быть, первый раз в жизни по-настоящему растерялась. Через год я должна была защитить свою докторскую диссертацию, и, кроме того, мне уже пришло приглашение из Флоренции. Меня приглашали поработать в одном из музеев, и это должно было занять не меньше, чем пять-шесть месяцев. Пойми меня правильно и не суди строго: мысль сделать аборт ни разу не пришла мне в голову. Я не собиралась отнимать у тебя жизнь. Такая мысль не могла прийти в голову ни одной женщине из нашей семьи. Но перенести защиту диссертации и работу в Италии очень и очень не хотелось. Я долго добивалась этого. Потратила много сил. И вот мне приходилось расстаться со всем этим, потому что с беременной женщиной, у которой через полгода родится ребенок и привяжет ее к себе, никто не решился бы иметь дела и строить такие серьезные планы. На исходе четвертого месяца беременности я решила уехать в Ереван и договориться с ведущим врачом главбольницы, чтобы мне сделали кесарево сечение в самом конце седьмого месяца. Я консультировалась со специалистами, и мне объяснили, что семимесячный ребенок абсолютно сформирован и жизнеспособен. В музее я сказала, что мне необходим трехмесячный отпуск по семейным обстоятельствам. О том, что я беременна, никто на работе не знал и не догадывался. Да и потом никто ничего не узнал, кроме Агаты, которая еще в молодости сказала, что посвятит мне всю свою жизнь. Не хочу отвлекаться от главного, но в двух словах: у Агаты был жених, который погиб перед самой свадьбой, и она поклялась, что никогда больше ни на кого не посмотрит. Она свое слово сдержала. Преданность мне доходит у Агаты почти до истерики, но зато я уверена в том, что, если меня не будет, она тебя не оставит. Вот, моя дорогая девочка, сколько ты всего сразу узнаешь. Нателла, моя младшая сестра, которую ты считаешь своей матерью, всегда была очень мягким и пассивным человеком. Твоя бабушка, наша с Нателлой мама, была еще жива, хотя уже очень сильно болела, и Нателла ухаживала за ней, а я посылала деньги из Москвы, чтобы они ни в чем не нуждались. Я сразу сказала Нателле, что жду ребенка, но отца у этого ребенка не будет, потому что меня ничего не связывает с ним. Потом я рассказала о диссертации и приглашении из Флоренции. Я надеялась, что Нателла сама предложит мне, чтобы ребенок, которого я рожу, прожил с ней в Ереване первый год. Тогда я успею защитить диссертацию и поработать во Флоренции. Но то, что она сказала, удивило меня так сильно, что в первую минуту я даже не поняла, что она имеет в виду. Ей было всего двадцать два года, она была чуть старше, чем ты сейчас, Марина.

— Отдай мне своего ребенка, Нона, — сказала она. — Он всегда будет тебе мешать. Сейчас

у тебя одни причины, потом будут другие, ребенок тебе не нужен.

— Но у тебя еще все впереди, — ответила я. — Зачем тебе чужой ребенок? Он будет только связывать и тебя тоже, Нателла. Ты можешь родить своего.

Но она **так** *посмотрела на меня, что я замолчала.*

Марина вспомнила мамин взгляд. Мама могла **так** посмотреть, это правда.

После этого разговора я долго не могла уснуть. Это очень трудная часть моего письма. Я не хочу оправдываться, но не хочу, чтобы ты считала меня чудовищем. Наверное, не всякая мать поступила бы так, как поступила я. Признаю это. Но ведь и обстоятельства мои тоже не были простыми. Моя работа и постоянные поездки за границу, где мое имя было хорошо известно в среде искусствоведов и художников, мое положение и в московском музее, и в Академии художеств, и то, что директор нашего музея А. И. постоянно предлагала мне быть ее заместителем, а я отказывалась, потому что не люблю административной работы, — все это должно было оказаться под угрозой, если бы в Москве узнали о моей беременности. У меня были к тому же враги и недоброжелатели, многие мне завидовали и только одного и ждали — скорее бы я оступилась. Кроме того, не забудь и еще одного обстоятельства, самого, может быть, решаю-

щего. Мне было почти сорок шесть лет. Это не самый подходящий возраст для матери-одиночки. Я сказала Нателле, что мне трудно принять решение, потому что это слишком неожиданно, но я готова отложить наш с ней разговор до рождения ребенка. Потом я уехала на дачу к своей ереванской подруге и прожила там до дня операции. Нателла провожала меня до самых дверей палаты и еще раз сказала мне, что очень хочет, чтобы я отдала ей ребенка. Помню, что меня как будто укусило что-то, потому что я неожиданно спросила ее, согласна ли она оставить у себя моего ребенка, если он родится каким-нибудь неполноценным? Ведь первая беременность в таком возрасте может быть чревата чем угодно. И опять она **так** посмотрела на меня. Я поняла, что зря задала ей этот вопрос.

Операции своей я не помню совсем, мне дали общий наркоз, и я спокойно заснула. Но вот что мне рассказал доктор, который делал кесарево. Он рассказал, что чуть не упал в обморок, когда ты, еще не извлеченная из моего только что разрезанного живота, вдруг высунула ручку и ухватила его за палец. Он сказал, что за тридцать восемь лет практики такого с ним ни разу не случалось. Сестра, которая помогала этому доктору, впоследствии подтвердила мне его слова. В больнице об этом потом вспоминали и много смеялись. Я думала, что ты, судя по этому движению, будешь похожей на меня — хваткой и энергичной, но ты оказалась копией моей младшей сестры — кроткой и пассивной. Однако не следует забегать вперед. Операция была утром, а в полдень мне уже принесли тебя, завернутую в белую простынку, с кудрявой черноволосой головой. Помню, как меня поразило то, что ты родилась с такими пушистыми и красивыми волосами.

— Какая девочка у тебя! — воскликнула медсестра. — Ах, какая! Украшение земли! Никто и не скажет, что не доносила!

Она сказала это по-армянски и поцокала языком.

— Дай ей грудь! — сказала она. — Молока все равно там еще нет, но пусть она к матери привыкает.

Я не посмела возразить ей, и медсестра ловко пристроила твое маленькое горячее лицо к моей груди. Помню, как ты морщилась и выгибалась внутри своего одеяльца, потому что никак не могла ухватить своим ртом мой сосок. Но потом ты все-таки добилась своего, и я почувствовала, какие у тебя горячие и нежные губы. Ты чмокала ими и перебирала, мне было щекотно и очень приятно. Я, помню, поразилась: почему многие женщины так жалуются на то, что им трудно кормить детей грудью? Я не испытала ничего, кроме наслаждения и нежности. Через десять минут тебя унесли, и вскоре я почувствовала, что уже скучаю. Этого я никак не ожидала и даже немного опешила.

Тогда я спросила себя:

— Нона, чего ты хочешь? Если ты сейчас расслабишься и позволишь себе привязаться к этой девочке, ты уже никогда не вырвешься. Все твои планы, работа, успехи, все, чего ты уже достигла своим трудом, за что так дорого заплатила, — все это полетит к черту. Хочешь ли ты этого?

И словно бы кто-то внутри меня отозвался на этот вопрос с таким восторгом, которого я сама испугалась:

— Конечно, хочу! Какие успехи? Чего это все стоит по сравнению с ребенком?

Но я придавила этот восторженный голос.

— Глупости! — сказала я себе. — Дети не заменяют всего остального, чем живет человек. А если я целиком отдамся этой девочке, кто будет кормить нас? Кто будет зарабатывать?

Вечером ко мне в палату с разрешения главного врача пришла Нателла.

— Какая у нас удивительная девочка, Нона! — произнесла она и заплакала от радости. — Мне только что показали ее через стекло. Клянусь, что я ни разу не видела никого красивее ее!

Мне почему-то не понравилось, что она так расхваливает тебя, в сердце своем я почувствовала ревность.

— Скажи мне, Нателла, ты все еще согласна удочерить ее? — спросила я.

Она испугалась и очень сильно побледнела.

— Я мечтаю об этом больше всего на свете! Ты ведь не изменишь своего решения, Нона?

Ночью у меня поднялась высокая температура и началось нагноение шва. Несколько раз мне вскрывали этот шов заново, промывали, вставляли в него какие-то ватные тампоны, кололи антибиотики. Я намучилась тогда с этим швом. Как будто тело мое не хотело дать мне забыть о том, что это я родила тебя, что ты вышла на свет из моего живота. Меня долго не выписывали из больницы, и потом, когда уже выписали, пришлось несколько раз прийти на перевязку. Ко дню моего выхода из роддома все бумаги были уже оформлены — Нателла была записана твоей матерью.

Молока у меня так и не появилось — наверное, сказался возраст. Мы с Нателлой нашли няньку, женщину из деревни, которая согласилась помогать ей за очень скромные деньги. Я должна была улететь в Москву в воскресенье, а в субботу ночью умерла во сне наша мама. Она давно уже не вставала с постели после тяжелого инсульта, и мы понимали, что она обречена, но все-таки ее смерть была для нас неожиданностью.

Марина оторвалась от письма и посмотрела на Нону Георгиевну. Та лежала с закрытыми глазами, но лицо ее, обычно бледное, слегка желтоватое на скулах и висках, ярко горело.

«...но все-таки смерть ее была для нас неожиданностью...» — одними губами повторила

Марина, вглядываясь в это горящее лицо на подушке.

Осталось две страницы.

После маминой смерти Нателла устроилась на работу в больницу, но для того, чтобы не оставлять тебя каждый день с нянькой, чаще всего брала на себя ночные дежурства. Я вернулась в Москву, защитила диссертацию и вскоре после этого уехала во Флоренцию. Мы с Нателлой регулярно переписывались. Вскоре я стала замечать, что она пишет о тебе как-то скупо и избегает всех подробностей, которые могли бы особенно растрогать меня. И я догадалась, отчего это, — она ревновала меня к тебе и боялась, чтобы я не отняла тебя у нее. Не скрою, Марина, что иногда и меня охватывало странное чувство: я как будто вдруг опоминалась, как будто стряхивала с себя какой-то дурман, в котором находились все это время моя душа и мой мозг. Я осознавала, что у меня есть дочь, ребенок, и этот ребенок живет далеко от меня и не подозревает о моем существовании, называет мамой мою сестру, которая тоже словно бы и забыла о том, что это я родила тебя. Мне становилось обидно до слез, и какая-то даже злоба просыпалась внутри. Я думала, что, если бы не обстоятельства того года, когда я забеременела, я бы ни за что не отдала тебя никому на свете, и ты бы сейчас гуляла вместе со мной по Флоренции, одетая в очень красивые платьица, которые я виде-

ла на других маленьких девочках. Однажды на вокзале меня окружили цыганки. Все они были молодыми, с грудными детьми на руках. Они стали просить деньги, тянули ко мне руки, и вдруг я заметила, что одеяло, в которое был завернут ребенок у одной из них, съехало, и я увидела такого несчастного маленького старичка. Видно было, что его таскают с собой только для того, чтобы выпрашивать деньги, и вряд ли даже кормят. Ему было не больше пары месяцев, но он казался каким-то древним, сморщенным и не совсем даже человеческим существом. Это зрелище обожгло меня. Я кинулась бежать, выскочила из здания вокзала и никуда в тот день не поехала. Мне показалось, что по сути своей я и есть — одна из этих цыганок.

Ты знаешь, Марина, что до твоего переезда в Москву мы виделись всего семь раз. Первый раз тебе было два с половиной года, и ты не запомнила нашей встречи, но потом ты становилась старше и, наверное, помнишь, как я приезжала всегда ненадолго, не больше, чем на три-четыре дня, и привозила тебе красивые вещи и подарки. Глупо, конечно, и стыдно сейчас напоминать тебе, что все эти импортные тряпки привозила и посылала тебе я, хотя Нателла никогда не радовалась тому, что я это делаю, и даже благодарила меня как-то скупо, сквозь зубы. Я посылала и деньги, но и в этом Нателла под любыми предлогами ограничивала меня, пока не настали труд-

ные времена и она сама не заболела. Да, и вот еще что: ты, наверное, не заметила, что, когда мы встречались, я старалась как можно меньше дотрагиваться до тебя, редко целовала и почти никогда не обнимала как следует. Не думай, что мне этого не хотелось! Я просто боялась. Потому что, как только я чувствовала запах твоей детской кожи, твоих волос или реснички твои вдруг щекотали мне щеку, я сразу теряла самообладание. Ведь весь этот запах, и твои волосы, и твои реснички, и обгрызанные твои ногти, и ссадины на твоих коленках, — ведь все это должно было принадлежать мне, ведь это я должна была радоваться тому, как ты растешь, как ты крепнешь, какие у тебя волосы и ресницы. А если бы ты знала мои сны, девочка! Эти кошмары, в которых я приходила в наш старый дом, где жили вы с Нателлой, а вместо дома видела кучу какого-то мусора. Об этом я и вспоминать не хочу.

Все остальное ты знаешь. Нет! Не все! Когда хоронили Нателлу, я смотрела на тебя, а ты ничего и никого не замечала в эту минуту и плакала так, что я боялась, как бы ты сама не умерла прямо там, над ее могилой. Когда гроб уже опустили в землю, я стояла рядом с тобой и при виде того, как ты забилась и закричала, сделала попытку обнять тебя за плечи, но ты вдруг с силой оттолкнула меня, и лицо твое было искаженным, неузнаваемым. Помнишь ли ты это? Ты оттолкнула меня так, что я чуть не упала, и прорыдав: «Оставьте меня! Отпустите!», опять забилась над ямой: «Ма-а-ма-а! Моя мама-а-а!»

Как же ты кричала тогда! Этот крик до сих пор стоит в моих ушах. Все перевернулось во мне, и я опять ощутила ту же самую ревность и почти злобу, которую заглушала в себе все эти годы. Я поняла, что ты не только не полюбишь меня так, как любила мою сестру, но даже и сказать тебе, что не Нателла, а я родила тебя на свет, будет почти кощунством. Ты не простишь мне. Но не того не простишь, что я отдала тебя своей сестре, а того, что я посмела открыть тебе эту оскорбительную и при этом совершенно не нужную тебе, ничего не меняющую для вас с Нателлой тайну.

Через два месяца после ее смерти случилось землетрясение. Я тогда подумала, что, может быть, Бог так наказывает людей за грехи. Я почувствовала и себя виноватой в том, что это случилось. И мой грех был в той неподъемной общей связке. И еще я ощутила, что это всегда так бывает: грешат одни, а кара обрушивается на других. Но если те, которые согрешили, поймут, что они уже сейчас, на этом свете, навлекли страдания на других людей, то как же им жить дальше? Или люди совсем слепы, и каждому нужно сперва умереть, чтобы душа потом проходила свои испытания и умывалась слезами?

Ты, наверное, ждешь, что я закончу это письмо словами «прости меня»? И ты права, девочка. Прости меня. Главное, что ничего нельзя исправить. Ты выросла хорошей и умной, но ты не в меня. Ты в мою сестру Нателлу, и я боюсь, что с таким характером, как у нее, тебя ждут большие и горькие испытания. Сердце мое болит за тебя. Если бы ты росла со мной, я бы постаралась закалить тебя против жизни, ты бы не была такой ранимой. Вчера ты разбила какую-то несчастную тарелку и посмотрела на меня с ужасом, словно совершила преступление. У меня все перевернулось в душе, но я, разумеется, не подала виду и только покачала головой. Я знаю, что память моей сестры — для тебя святое, и я не должна вторгаться в те представления о жизни и те ценности, которые она воспитала в тебе. Что же делать? В одну реку нельзя войти дважды — сказал Гераклит. Бог знает, что он имел в виду. В одну реку можно войти хоть сто раз, но вода в этой реке — все время другая. Я надеюсь на одно: ты, может быть, изменишься с годами, и черты моего характера все-таки дадут о себе знать. Ты окажешься более выносливой и менее чувствительной. Дай-то Бог.

В последнее время меня мучают тяжелые предчувствия. Вчера я увидела сон, будто я лежу в ванне, полной мыльной воды, и Агата моет мне голову. Я не верю предчувствиям, но все-таки решила написать тебе сейчас, не откладывая.

Глава одиннадцатая
ПРОЩЕНИЕ

У Саши, любовника Алешиной бабушки Зои и мужа страдалицы Лизы, вернувшейся только домой из больницы, настала совсем уже странная жизнь. Жена, которая благополучно выздоровела и могла бы, по наивным Сашиным представлениям, начать все заново, не только оказалась совершенно безразличной к любым человеческим удовольствиям, как то посещение, скажем, кинотеатра или студии Фоменко, но даже не ела той вкусной еды, которую изготовляла прилежно, но только для Саши. Сама, хоть садилась с ним вместе обедать, ограничивалась перловой или гречневой кашей. Однако пила молока очень много, как самый невинный младенец. Саша напряженно и испуганно всматривался в свою эту, можно сказать, Эвридику, чудом вернувшуюся практически с того света, и страх его рос с каждым днем.

Ответьте теперь, отчего это люди так сильно все время боятся? А сами не знают. Боятся, и все тут. Спроси вот любого — хоть Васю, хоть Петю, хоть даже Семена Аркадьича: «Чего же ты, милый, все время боишься?» И что он ответит? А вот что: «Боюсь я всего». А ты, мой голубчик, не бойся. Ведь ты не идешь на грозу? Не идешь. И правильно делаешь. Вот и не бойся.

Прежде, до оставившей по себе очень неприятное воспоминание болезни, Лиза никогда не готовила Саше завтрак. Возилась у зеркала с собственным обликом, что было намного важнее обоим. Поэтому он и хватал что попало, — даже, например, какую-нибудь вредную для здоровья и высококалорийную булочку с изюмом, — запивал ее холодной вчерашней заваркой и живо бежал на работу. Теперь Лиза ждала его по утрам за кухонным столом, где стояла чашка с блюдцем, а не какая-нибудь кружка с темными желтыми разводами внутри и рядом лежал тонкий сыр, и ломтик свежайшей колбаски, и тостик, и плошечка с медом, и пахло сейчас только что сваренным кофе. Жена, неподвижная, как изваяние, над пестрым таким натюрмортом, могла бы любую, и даже холодную, душу всю перевернуть, возродить и наполнить вполне неподдельной любовью и жалостью. Ну как подменили подругу всей жизни! Прежде она попадалась ему на глаза исключительно нарядной и красиво накрашенной, всегда привлекала к себе нежным запахом, и это сбивало его только с толку. И вот почему. Будучи человеком образованным, Саша вспоминал провокационные строки из пятнадцатого века повести о Петре и Февронье, где умная Февронья говорит возбужденному какому-то древнерусскому мужику, что женщина — вроде воды: черпнешь, значит, справа от лодки — вода. И слева от лодки — вода. Все одно. Зачем суетиться, менять их, метаться, искать что-то новое под подолами? И Саша, весьма неконфликтный, сникал — у них с пылкой Зоей, конечно, любовь, но тут, то есть дома... Жена как-никак. И юбка с разрезом почти до бедра. Ах, женщины, женщины! Мука людей.

Теперь на Лизином удлиненном лице не было никакой краски. Она была бледной, с большими глазами и ртом, на котором от прежних фальшивых, нисколько не нужных улыбок темнели морщинки. До сегодняшнего дня Саше и в голову не приходило, что у Лизы так много седых волос. Сейчас оказалось, что много. Но это не все. Ведь сейчас оказалось, что и от их дружбы, поскольку она любимого мужа и не проверяла, не дергала, не обижалась, не мучила, а жили, как два белых голубя, просто сестрица Аленушка с братцем Иванушкой, — так вот: оказалось, что и от их дружбы, взаимной и вежливой, и от улыбки, спокойной и ясной, без всякой помады, от глаз ее чистых, глубоких, монашьих такою повеяло лютой тоской, такою угрозой и холодом смерти, что Саша совсем потерялся.

А Зоя молчала. Ну, что бы шепнуть: «Давай посидим хоть вон в сквере, на лавочке»? Один телефонный звонок, пустяки. И он бы, глядишь, согласился. Что сквер-то? Невинное дело, давай посидим. Она же ждала-выжидала.

О старость! Не это ли шутки твои да оскалы? Но тут же он весь загорался. Где старость? Какая вам старость? Мужик — ого-го! И кровь в нем играет, и плечи широкие. Теперь, в наши дни, шестьдесят, даже с гаком, нисколько не старость, а самый расцвет. Вот ехал в субботу в троллейбусе утром, и девушка рядом стояла. Как роза! Глаза голубые, ресницы пучками, а ногти такие, что и непонятно, какая перчатка налезет? И он встрепенулся, очки быстро снял и ей уступил у окошечка место. Приятно так поговорили дорогой. Дала телефон. Архитектор, живет рядом с цирком. Есть мама и папа, но оба в отъезде. Всю ночь просыпался — звонить или нет? Хорошая девочка, имя чудное. Да, имя какое-то странное — Эльва. А может, поскольку живут рядом с цирком? Там, в цирке, сплошные ведь Эльвы да Мальвы.

А утром опять вышел завтракать в кухню. Сидит его Лиза. Чужой не узнал бы. Седая, в каком-то цветастом халатике. А ноги худые-худые, все в венах. Подумал — спустил в унитаз телефончик. Прощай, моя Эльва, другого найдешь.

Главное, он ведь не знал того, что у Лизы сейчас на уме. Лежит она рядом с ним ночью в кровати. Укрыты одним одеялом. Конечно, касаешься хоть ненароком. Бывает, погладит слегка по щеке. Бывает, и он ее нежно притиснет. Но больше — увы — ничего. Спать, спать! Спать крепко, скорее забыться от грусти! Скорее в загадочный мир сновидений! В какие-нибудь вечно юные кущи!

С Лизиного освобождения прошло три месяца. В конце концов слабохарактерный Саша не выдержал, поехал за советом к бывшему однокласснику, а ныне священнику в славном Безродье отцу Непифодию. У отца Непифодия была, правда, кроме хорошей, добротной и с банькой-пристройкой избы на селе, квартира в Москве, в самом центре столицы, и там Непифодий, бывало, спасался от слишком уж сильной народной любви. В эту квартиру, вернее сказать, небольшой особнячок в одном из переулков неподалеку от Патриарших, удрученный и растерянный Саша направился утром, еще до работы, поскольку отец Непифодий взял себе за правило ложиться с заходом солнца и подниматься с благословенным восходом его. Однако не дойдя шагов двадцати до Большого Козихинского, Саша был остановлен толпой пожилых, гораздо старше, чем он сам, людей, которые с мрачными и насупленными лицами, взявшись под руки, шли ему навстречу.

— На митинг? — крикнул ему крепкий и величавый старик, напоминающий русского витязя своей узкоконечной и высокой вязаной шапкой. — Становись в ряд!

— Какой еще митинг? — спросил растерявшийся Саша.

— А то ты не знаешь! — с торжественной злобой ответил старик. — Сносить собрались Долгорукого!

— Кого?

— Долгорукого, князя!

— Зачем?

— А известно зачем! Теперь все по-новому, американскому! Гостиницу строить решили! На князевом месте! На русской кровинушке! Давай, говорю, становись!

— Да я по другому здесь делу...

Мрачные протестанты остановились прямо перед Сашей и задымили ему в лицо папиросами.

— Вот так у нас все, — жадно взвизгнула женщина с седыми косицами на голове. — Одни внуков нянчат, плевать им на Родину, другие гуляют до самой могилы, по бабам гуляют, и хоть бы им хны! А Родина... Эх! — И она грустно плюнула, попавши себе на белесый сапог.

Поскольку идущие на митинг стояли и не двигались, то Саше пришлось сделать нерешительный шаг влево, чтобы обойти их со стороны проезжей части.

— Да стой! — закричал витязь в шапке. — Ведь ты не чечен! Ведь по роже видать, что русский, и дед твой был русским, и прадед! Идем с нами к мэру! Тут судьбы решаются!

Саша покачал головой и, не отвечая, почти побежал в сторону Большого Козихинского.

Толпа защитников покойного князя Долгорукого, не обращая на него больше никакого внимания, мерным и крепким шагом продолжила свой путь.

У самого особнячка бывшего одноклассника Саша остановился, чтобы отдышаться.

— О Господи! — чуть ли не вслух сказал он. — А я-то считал, что ведь это *моя* одна головой от несчастий поехала! А тут вон ведь сколько народу! И все сумасшедшие, а на свободе!

Он вытер потный лоб носовым платком и позвонил. Дверь отворила немолодая прислуга отца Непифодия Таисия, монашенка, которая по доброй воле взяла на себя труд вести домашнее хозяйство у недавно овдовевшего священника.

— Ждет. Дома, — с недоброй усмешкой сказала Таисия. — Очень устали. Покою им нету. Замучили нас. Пройдите наверх.

Саша повесил пальто и прошел наверх. Непифодий ждал его в своем кабинете, где на стенах висели многочисленные изображения отцов и служителей православной церкви, среди которых копия со знаменитого портрета Перова, на котором писатель Федор Достоевский изображен обхватившим себя за одно колено, выглядела несколько инородно и, не будь у Федора Достоевского такого же угрюмого и простого лица, как и у защитников князя, недавно попавшихся Саше на улице, она, то есть копия с этой картины, могла бы нарушить духовность всей комнаты.

Сам Непифодий был, однако, настроен благодушно и, судя по всему, наслаждался своим кратковременным отпуском в самом сердце любимого города.

— Вот, Саня, — сказал Непифодий, быстро убирая за спину правую руку, как будто спасая ее от лобзания. — Вот, Саня, удрал на три дня. Ты завтракал нынче?

Саша хмуро кивнул, поразившись здоровому румянцу на лице духовного отца своего.

— А я, Саня, нет. Сейчас нам поесть принесут. Ты, Саня, садись. Таисия! Кушать!

Строгая и неженственная Таисия вошла с большим подносом. На подносе стояли чашки, серебряный кофейник, из носика которого бежала голубоватая пахучая струйка, масленка, икра, ярче крови по цвету, и розовый пухлый батон.

— Яичницу будете кушать, мужчина? — спросила Таисия, глядя на Сашу с таким грозным видом, что он весь поджался.

— Спасибо, я сыт.

— А вам принести? — и она наклонила голову, опустила редкие ресницы.

— А мне, будь добра, принеси. Три яичка и с луком.

Пробормотав что-то, чего никто не расслышал, фанатичная Таисия вышла с пустым подносом.

— Ну, Саня, давай, говори!

Непифодий раскинулся в кресле, прихлёбывая ароматного кофе из очень красивой, с цветочками, чашки.

— Да что говорить? Плохо мне. Тут Лиза вернулась, совсем как старуха. Молчит целый день, ходит в рваном халате, хлопочет. «Ты, Саша, устал? Ты, Саша, прилег бы. Ты, Саша, поел бы...» Тоска у меня. Ведь раньше, Валера... — Тут Саша запнулся.

Отец Непифодий махнул бутербродом.

— Давай, говори!

Саша, покрасневший было от случайно вырвавшегося из него мирского имени духовного наставника, опять приободрился.

— Я смерти боюсь. Вот, знаешь, был сон. Такой, впрочем, сон, что и не перескажешь. Как будто я, знаешь, завис в пустоте. И тьма подо мной. Наверх посмотрю, и там тьма. Не страшно, а даже спокойно, как будто я спать только очень хочу. И кто-то как будто бы мне объясняет, что, мол, хочешь спать, так и спи, а спать будешь крепко и весь растворишься. Как сахар вот в чашке. Исчезнешь, короче.

Отец Непифодий испуганно поставил на стол недопитую чашку.

— И что? И весь сон?

— Нет, не весь. И начал я словно бы плыть. Вернее, барахтаться начал, стараться из тьмы этой выбраться. Вязко так, клейко. Как будто кисель, только очень густой. И я понимаю, что больно не будет. А сам, знаешь, дергаюсь, рвусь весь, стараюсь. И все понапрасну. А мне говорят: «Что рвешься? Тебе прилепиться-то не к чему». Мол, все, чем ты жил, чем дышал, — пустота. И сам ты — кусок пустоты. И в ней ты останешься, нечего рваться. Я с этим проснулся.

Отец Непифодий прикрыл глаза левой ладонью.

— Что скажете, батюшка?

— Что я скажу? Мучительный сон, Александр. Мучительный. По мне, так уж лучше бы ты не рассказывал! Да, да! Взял бы да утаил! Поскольку и я человек. Ты думаешь, Саня, я рясу надел, грехи отпустил, да и в рай попаду? А если я, Саня, с тобой, в пустоту? В кисель этот твой? Вот что страшно! Ох, страшно!

— Тебе-то что страшно? Грехи свои все отмолил...

Непифодий не дал ему закончить:

— Да как отмолил? Да чего отмолил? Ведь это я их, нерадивых, учу: идите, мол, да и молитесь! Отмолите! Они и идут. Им лишь бы простили! Они же как школьники в школе! А вера не в этом!

Суровая Таисия вошла с яичницей и строго посмотрела на Сашу.

— Покушайте, батюшка. Яйца простынут.

Непифодий зашикал и замахал на нее обеими руками:

— Иди, иди, матушка! Не до яиц!

Таисия выплыла.

— Мне, Саня, еще, может, даже страшнее. Я вроде живу внутри церкви, в законе, ко мне вон приходят, я их наставляю. Не ешьте скоромного в пост, не грешите, не пьянствуйте, с ближним делитесь, любите. А вера-то здесь ни при чем, Александр! Ведь это все — правила, друг мой, слова! А пьяница бедный пойдет и напьется, поскольку он, Саня, иначе *не может*! А после ко мне — грешен, батюшка, грешен! В меня-то он верит, а в Бога не верит! Икону целует, а что в ней, в иконе? На каждой — цена да фамилия автора!

Отец Непифодий перевел дыхание и возвысил голос.

— А братья мои по духовному сану? Ведь только и сеют один только страх! Народ и так темный, унылый, разгульный, а их еще учат: «Враги кругом, бдите! Все только и думают, как бы быстрее нас всех, православных, гуртом на колени!» Какой уж тут ближний? Кого возлюблять-то?

Саша никогда не видел духовного отца своего в таком возбуждении. У Непифодия как будто пружина внутри распрямилась. Он поднялся с кресла, подошел к окну и затылком прижался к перекладине. Яркое, зимнее солнце разгорелось над его волосами.

— А я, Саня, деньги люблю! Да, люблю! Зачем человеку два дома, скажи? Ведь тело одно! На два стула не сядешь! А я вот оттяпал себе особняк! А сколько часов у меня, ты не знаешь? И лучше тебе, что не знаешь. Я сам давно сбился со всякого счету! А сколько костюмов? Да, Саня, каких! Ведь фирма на фирме, ведь бирка на бирке! А я себя все извиняю: несут! Несут, Саня, дарят! Не гнать же людей!

Отец Непифодий опять замолчал. Саша с тревогой посмотрел на него. Вопросы, с которыми он пришел сегодня в Большой Козихинский переулок, начисто выветрились из головы.

— Вот Таню свою схоронил и запил. Никто и не понял. Сказался больным. А нет чтобы честно пойти и покаяться: «Ну, плохо мне, братцы! А выпью — и легче». Так нет! И три месяца всех проморочил! Престиж! А сколько ко мне, Саня, нелюди ходит! Ну, бритых-то этих! Кресты во всю грудь! Ведь это же, Саня, преступники, черти! У них и не зубы во рту, а клыки! Придет и отвалит деньжонок «на храм», подарков надарит. И руку целует. А я подаю и не брезгую. Вот как! Ведь вижу, что черт, а грехи отпускаю. А кто я такой, чтоб грехи отпустить? А он вон отъедет на два километра да снова зарежет! Такого же, бритого!

— Ну, ты же не можешь за всех отвечать...

— И женщин люблю, — понизив голос, зашептал Непифодий. — Пока была Таня жива, я держался. И голода не было этого, плотского. А как померла, так не знаю, что делать. Венчаю, бывает, а сам-то все пялюсь! Невесты ведь знаешь какие бывают? Не дай Бог глазами разденешь, ой-ой! Сгоришь со стыда, хоть в петлю полезай!

Прежний здоровый румянец на его лице сменился желтоватой бледностью, руки начали торопливо перебирать пуговицы на рубашке.

— Затем и держу крокодилку в прислугах. Посмотришь на рожу — свет белый не мил. Такое себе изобрел, Саня, средство. Молился, постился, и не помогло. А тут как войдет, так мне легче...

Неженственная Таисия просунулась в дверь.

— Шофер там приехал. С дарами от этого... Никак не упомню... Бездумного, что ль...

— Безмерного, а не Бездумного, матушка! Гони его к лешему!

— Он уже выгрузил...

— Да занят я, слышишь! Беседа идет.

— Так я же ему объяснила: «беседа». А он говорит: «Пусть хоть благословит». Торчит вон под окнами, не уезжает.

Отец Непифодий обреченно развел руками.

Оказавшись на улице, Саша сделал несколько шагов и оглянулся: из ловкой какой-то, блестящей машины на очень красивых колесах, приплюснутой, стоящей на противоположной стороне, но не возле тротуара, а заехав прямо на него и перекрыв движение редким пешеходам, вылез огромного роста, с бритой, сразу же покрасневшей на холоде головой, в черном костюме, белой рубашке и галстуке, широкоплечий детина и затоптался у двери особняка. Через несколько секунд высунулось широкозубое лицо Таисии, которая, подозрительно оглядев почти что пустой переулок, пропустила детину внутрь, и дверь с сильным звуком захлопнулась.

До дома Зои было минут десять-пятнадцать ходу. Саша вдруг почувствовал такую звериную тоску, но не по ней даже, а по тому, что было связано с ней и переполнено ежедневной радостью от того, что она существует на свете и он может обнять ее. Тоска так давила на грудь, что ребра заныли. Тогда, уже не раздумывая, не спрашивая себя, верно ли он поступает, Саша развернулся и решительно зашагал по направлению к Леонтьевскому переулку.

— Соскучился. Это же не преступленье, — сказал себе Саша.

Не успел он пройти и двадцати метров, как небо вдруг словно немного раздвинулось, сначала блеснуло, потом потемнело, и на мокрые от ночного дождя деревья, на крыши машин, на пожухлые листья пошел первый снег. Свежесть этого младенческого, изумленного увиденным и потому летящего наискосок снега была столь чудесной и так отличалась от темной земли, что не только Саша, человек впечатлительный и порывистый, но даже грызущие семечки няньки с детьми вдруг улыбчиво порозовели. А каменный толстый Крылов рядом с прудом слегка усмехнулся: «Однако зима».

«Отлично, что снег, — решил Саша, — отлично. Хороший мне знак, а не просто погода».

Он, впрочем, несколько поторопился с выводами. Во дворе музея Станиславского, за высокими окнами которого смотритель дремал на своем жестком стуле, судьбе благодарный за то, что она дала ему этот вот стул, на котором сидит он в тепле, наслаждаясь покоем, в то время как разным другим, невезучим, досталось какие-то сваривать трубы, водить поезда по опасным тоннелям, а то и искать в глубине земных недр полезные (но не себе и не близким, а жадным и алчным, балованным людям!) металлы, такие, как никель, и газы, — так вот: во дворе много лет стояла под старыми липами лавочка. На лавочке этой в погожее время скучал одноногий герой дядя Леша, прошедший сапером войну и осевший на шею и плечи жены Антонины, а зиму и осень скамья пустовала.

Каково же было удивление запыхавшегося Саши, когда он увидел еще даже с улицы, что на лавочке близко друг к другу сидят, как две птицы, знакомые женщины: жена его Лиза и

Зоя, любовница. Сидели они просто как изваяние — настолько спокойной, усталой и кроткой была их застывшая поза. Ни та, ни другая уйти не стремились, друг другу на лица почти не смотрели, но что-то в них было такое прекрасное, такое достойное, несуетливое, что Саша практически оторопел. Потом Зоя Лизу о чем-то спросила, и та, бедняжка, вся вспыхнула сразу. И снова они замолчали. И снова застыли в той несколько странной, однако красивой и женственной позе, которая их словно бы приковала не только друг к другу, но к этому снегу, и к лавочке этой, и к липам печальным, и все это вместе открылось прохожим картиной их общей, отнюдь не простой, безотрадной судьбы.

Саша дорого отдал бы, чтобы узнать, о чем был у них разговор, с чего это вдруг так вся вспыхнула Лиза, а Зоя прикрыла перчаткой глаза. Ему пришло в голову, что эти женщины сейчас собрались на заснеженной лавочке, решая, кому он достанется. Господи! Он чуть не заплакал: пускай они обе откажутся, обе! А он пусть достанется голубоглазой хорошенькой Эльве. Вот было бы славно.

«Прошло мое время! — подумал он горько. — А я ничего не ценил так, как нужно».

Он вспомнил вдруг прежние, чудные годы, себя, молодого, кудрявого, легкого, которому просто бросались на шею, но он был женат на красивенькой женщине с улыбкой почти что как у Лолобриджиды, и как он, гордясь красотой этой женщины, почти ничего себе не позволял — лишь изредка пару невинных интрижек, — и как он ее утешал, эту женщину, которая очень хотела ребенка, но что-то все не получалось, и ночью, раз в месяц, ему, ее мужу, всегда приходилось ее утешать. Она заливалась слезами, шептала:

— Опять *началось*. Да не трогай меня!

Она все искала врачей, все лечилась, врачи назначали ей кучу проверок, и хапали деньги в почтовых конвертах, рекомендовали то воды, то соли, пока наконец кто-то, самый дотошный, сказал, что провериться следует мужу. А что ему было ходить проверяться, раз Зоя, которая вдруг овдовела, уже была с ним, и они, обезумев, любили друг друга так неукротимо, что Зоя в конце концов и залетела, и он, удрученный, отвез ее в клинику и сам сунул деньги в конверте большому и белому, как Дед Мороз, главврачу.

До сих пор ему было неловко вспоминать, как он шел на прием к урологу, и Лиза, еще ничего тогда не знавшая о Зое, вызвалась его проводить, и на душе у него было муторно, как будто бы он отравился в буфете какой-то несвежей и жирной едой. Теперь, когда он вспоминал, как они бежали по улице, и на сугробах качались узоры седых фонарей, и люди вокруг торопливо тащили продукты и елки, и дети катались на санках с горы, — теперь, когда он вспоминал это все: блестящие Лизины брови, и губы, и запах смолы и хвои, пропитавший морозный синеющий воздух, и их молодой, быстрый шаг, и то, как он мучился тем, что не может сказать бедной Зое хоть слово, а Зоя сидит, ждет звонка, — теперь все, что в этот морозный, чудесный, сияющий вечер казалось ему большой неприятностью и огорчением, таким обдавало немыслимым счастьем, таким просто скулы сводящим восторгом, что он проклинал свои прежние годы, когда он совсем ничего не ценил.

Он словно бы напрочь забыл, что с того морозного вечера, с давнего снега прошло двадцать лет. И в каждой из женщин за все эти годы как будто бы выросло некое дерево, которое не увядало зимою, весной не цвело и не плодоносило, когда наступала богатая осень. И каждая женщина прятала в дупла, которых в нем было великое множество, все то, что скрывала не только от ближних, не только от дальних, но и от себя. А дерево все принимало и, ставши большим, неподвижным и твердым, как камень, давило на ребра, желудок и сердце, но не прорастало сквозь тонкую кожу.

Теперь же, увидев сидящих — жену свою, Лизу, и Зою, любовницу, — он вдруг испугался. Они подводили итог его жизни, они упраздняли опасное счастье, и терпкость, и свежесть, к которым он, Саша, успел так привыкнуть за долгое время.

Лица обеих были неярко, но выгодно освещены теперь уже редким и мелким снежком, который нисколько их не беспокоил. Одеты они были обе небрежно. Жена была в темном пальто и беретике, а Зоя в какой-то почти детской курточке.

Глава двенадцатая
НЕНАВИСТЬ

Марина не положила письмо обратно в ящик с нижним бельем, а, зажав его в руке, подошла к постели Ноны Георгиевны. Она сама почувствовала, как зрачки ее запульсировали внутри глаз и голова заболела. Прикрытый до пояса, крошечный, детский, лежал неподвижный скелет ее *матери*, стремившейся приподнять левую руку.

— Какая же ты... — прошептала Марина, застыв над скелетом.

И вдруг ее словно бы что-то ударило.

— А если ты все наврала? Что тогда? Не знаю зачем, но могла ведь наврать. Ах, знаю зачем! Знаю, знаю! Наверное, подумала: вдруг и Агата сама заболеет? И кто тогда будет за вами ходить? Кто будет горшки выносить? И придумала!

Она наклонилась и поднесла исписанные крепким почерком страницы к самому лицу Ноны Георгиевны.

— Живо-о-о, — замычала больная. — Смо-о-от на живо-о-о...

Она говорила «смотри на живот».

— Живот заболел? — усмехнулась Марина. — Придется терпеть.

Нона Георгиевна умоляюще и сердито, как тогда, когда Марина не понимала, что нужно выдвинуть нижний ящик комода и достать письмо, взглянула на нее.

— Смо-о-о-т на...

Марина откинула одеяло. После вечернего мытья на Нону Георгиевну всегда надевали длинную и теплую ночную рубашку. Марина приподняла ее. Перед ней были тощие, с выступающими коленями ноги и впалый, слегка желтоватый живот. Прежде, купая и переодевая Нону Георгиевну, она не обращала особого внимания на длинный уродливый шов, который делил этот тощий живот на две половины. Теперь поняла. Ведь это ее, всю в крови и кудрявую, тащили оттуда на восемь недель прежде срока! Ее! А мать торопилась уехать в Италию. И словно бы мстя за ее торопливость, шов начал гноиться. Его промывали, его присыпали лекарством, вставляли тампоны из ваты во все его дыры, а он все кровил и гноился, и мстил ей. И все не давал ей уехать, сбежать, как будто рассудку противилось тело.

Нона Георгиевна закрыла глаза. Выражение скучающей надменности, которое отличало ее до болезни, вернулось на это лицо с птичьим носом и плотным, с припухшею верхней губой и нежным пушком над ней, ртом. Марина услышала, как она ровно и неторопливо дышала во сне.

Не только сострадания или жалости не осталось в ней по отношению к этой женщине, но вдруг всю ее охватила брезгливость и что-то такое, чему нет названья. Не ненависть, нет. И не злоба, нет. Ужас, что с этим придется ей жить. А как жить?

— Нельзя, нельзя, детка, — шепнул мамин голос. — Нельзя, моя радость...

Марину колотила крупная, отвратительная дрожь. Хотелось сейчас одного — одеться и выйти на улицу, чтобы уже никогда не вернуться обратно.

В дверь позвонили. Она с облегчением выскочила из спальни.

На пороге стоял режиссер Зверев.

— Зачем ты, любовь моя, трубочку бросила? — спросил ее пьяный растерзанный фавн. — Я этого не люблю. Армянская девушка — вежливая девушка, она в платье купается, а ты обрусела, испортилась. Трубки бросаешь. В Армению надо обратно, а то совсем будешь злая, как русская девушка.

Он вошел и так крепко и надолго прижался губами к ее губами, что, когда оторвался наконец, Марина почувствовала, что теперь и от нее пахнет спиртным.

— Отсюда уже никуда... — сказал он. — Мне нужен покой, тишина, а не этот... пятнадцатый век... Я женюсь на тебе. Пойдешь за меня? Вот хоть завтра. Пойдешь?

— Ты пьян, — прошептала Марина.

— А что, только трезвые женятся?

— Зачем ты приехал?

— А то ты не знаешь! Маришка, спасай. Я, похоже, не это... Вчера прилетел и вдруг, знаешь, запил. И спать не могу.

— Ты к этой литовке летал?

— Тебе что, уже донесли?

— Да ты ведь сказал. Ты же мне позвонил!

— Да, я позвонил. Ну и что? А, неважно! Пусти, я пройду. Меня что-то ноги сегодня не держат.

Он сбросил на пол заснеженную дубленку, варежки, шарф, протопал в большую комнату и развалился на диване.

— Давай с тобой чай пить. Спокойно, семейно... А есть что покрепче?

Поколебавшись, она вынула из буфета и поставила на стол бутылку коньяка.

— Голодный? Покушаешь?

Он захохотал.

— Смотри, только не говори слова «есть»! Всегда говори только «кушать». Ты мягонько так говоришь, шепелявенько «кущ-щ-шять». Приду вот со съемок домой, будем «кущ-щ-щать»!

Марина молчала. Из комнаты Ноны Георгиевны не доносилось ни звука. Зверев налил полную рюмку и выпил залпом.

— А, вот есть и сыр. Вот сыром закусим. — Он отрезал кусок брынзы, положил в рот и выплюнул тут же на блюдце. — Нет, кисло. Коньяк забивает. Дай хлебца простого. А впрочем, и хлебца не нужно. Сама подойди.

Марина подошла. Зверев резко притянул ее к себе.

— Спать очень хочу. А один не могу. И выпью снотворного, а не могу. Шумит в голове. Ох, шумит! Хлебнешь коньячку, вроде легче. Что смотришь? Чудно? А, ладно. Поеду домой.

Марина вздрогнула в его руках. Фавн хитро прищурился.

— А хочешь, останусь? Ведь тетка не встанет?

— Она мне не тетка, — сказала Марина.

— Не тетка? А кто же тогда?

— Никто. Пойди, прими душ и ложись. Куда ты поедешь? Тебя заберут.

— Я чистый, — сказал он капризно. — Какой еще душ? Разврат это все и одно безобразие. И нечего брезговать, я тебе муж. Хозяин души твоей грешной и тела.

Марина сделала попытку высвободиться из его рук.

— Э, нет! Не пущу! Не затем я приехал! Куда идти спать? В эту, что ли вот, комнату?

Он тяжело поднялся с дивана и, крепко обняв Марину за талию, прошел в соседнюю комнату и, не выпуская девушку, повалился на кровать.

— Давай раздеваться. Снимай свои брючки! Вот так! И давай расстегнем эту «блюзочку»... Да что ты, ей-Богу, вся как неживая?

Марина заплакала.

— Пошел вон отсюда! Сначала убил, а теперь «неживая»!

На ней был один черный лифчик, и Зверев пытался его расстегнуть.

— Каких тут крючков понаделали, ужас! Все пальцы сломаешь!

Не переставая плакать, Марина села на кровать.

— Ух, любишь же ты порыдать, моя радость! Так я импотентом с тобой скоро стану! Ревешь и ревешь. Зову тебя замуж — ревешь! Хочу с тобой спать — ты обратно ревешь! Река, что ли, там у тебя, в животе?

Накрыл ее мощным своим, рыжим телом.

— Ну, вот. Ну, начнем. Только ты не брыкайся! А то я ведь пьяный, еще упаду. И тетку разбудим. Она не глухая?

Она попыталась столкнуть его. Зверев обеими руками уперся в спинку кровати. Кровать затряслась.

— Всю мебель у тетки порушим, ей-Богу!

— Пусти меня-я-я! Я не могу! Не хочу!

Когда же он замер на ней, и мокрое от слез лицо ее так и осталось вдавленным в его плечо, а руки его больно оттягивали назад и прижимали к подушке ее волосы, Марина даже и не пыталась освободиться. Агата однажды сказала: «Любовь? Что любовь? Одно помрачение сердца, и все».

Марина лежала под ним, грубым, пьяным, заснувшим уже и забывшим о ней, и сердце ее, помраченное сердце, служило как будто какой-то затычкой всему ее телу: не будь его, сердца, вся кровь ее вытекла бы на кровать.

Глава тринадцатая

КРОВЬ

...Зверев снова увидел Неждану в сентябре. Она не пригласила даже зайти в дом и сказала, что рано утром уезжает к матери в Вильнюс. Он сразу почувствовал: врет. И ушел.

Опять прилетел через два с лишним месяца.

Снега не было, и лес стоял тихим, как будто оглохшим. Пока добирался до дома лесничего, — пешком, не плутая, — знал эту дорогу, как будто здесь сам и родился, и вырос, — уверил себя, что Неждана хотела увидеть его. Хотела еще в сентябре. Она к нему тянется так же, как он. Не может все это быть односторонним. И чем больше он думал, тем вернее казалось ему это предположение. Он напрочь забыл о том, что человеческие представления о действительности так же мало совпадают с самой действительностью, как рентгеновский снимок груди с самой женской грудью, где четки костей и размытые пятна должны заменить нежно-белую плоть и темный упругий сосок. Он вспоминал яркую краску, выступившую на ее скулах, когда она объясняла ему прошлый раз, что утром должна ехать к матери в Вильнюс, и теперь ему казалось, что эта краска и выражение ее прозрачных глаз говорили совсем не то, что говорили губы, а, напротив, показывали, что она рада видеть его и не ожидала, что он снова приедет, и, растерявшись, придумала первое, что пришло в голову, только потому, что обрадовалась и испугалась своей радости. Не нужно было делать вид, что он поверил ей. Нужно было прийти на следующее утро. Она бы впустила его.

Странно, что он все время забывал о ее муже, как будто никакого мужа и не существовало. Был лес. Была эта женщина. К ней он и шел.

Когда режиссер Зверев, неглупый, циничный, но относящий свой цинизм исключительно к избытку жизненного опыта, спрашивал себя, зачем ему эта лесная ундина, с которой они и двух слов не сказали, он только весь ежился и усмехался. В Москву привезти и жениться на ней? Но именно опыт цинизма тотчас же подсказывал Звереву, что этот шаг подобен тому, чтобы взять и жениться на первой попавшейся в чаще волчице.

К трем часам дня, когда он достиг усадьбы лесничего, почти стемнело. Но в доме светились все окна, и во дворе горели фонари. Странная картина открылась его глазам. На балке, находящейся на высоте не более двух метров от земли и перекинутой между двумя врытыми столбцами, висели вниз головами живые, подвязанные к этой балке за лапы дикие индейки, которые, как слышал Зверев, водились в литовских лесах. Лесничий в высоких резиновых сапогах и грубом вязаном свитере занимался тем, что вынимал из стоящих тут же клеток новых индеек, которых он, скорее всего, сам и наловил, крепко зажимал каждую птицу обеими руками, а жена его, тоже в резиновых сапогах, свитере и вязаной черной юбке, ловко связывала им крылья и вниз головами подвешивала на балке. Они были так заняты своею работой, что не сразу заметили гостя, и несколько минут Зверев, оторопев, смотрел на эту мрачную, шуршащую перьями птичью виселицу. Индейки старались вырваться, разевали рты, гоготали и делали невообразимые усилия, чтобы взмахнуть своими прочно связанными, огромными, темно-пестрыми крыльями. Их было не меньше пятнадцати. Может, и больше.

— Лабас![1] — сказал Зверев хрипло.

Лесничий обернулся, а она, без сомнения, сразу же узнавшая его голос, помедлила, и руки ее, держащие уже связанную, сильно бьющуюся большую птицу, замерли.

— Лабас, — угрюмо ответил лесничий. — Опять, что ли, съемки?

— Да, съемки. Места вот ищу.

— Ищите, ищите. А нам не мешайте. Забот и без вас полон рот.

Неждана что-то негромко пробормотала мужу по-литовски.

— Не хочет жена, чтобы я вам грубил. — Лесничий прищурил глаза. — А в чем же здесь грубость? Готовим на зиму индеек, видали? У нас супермаркетов нету. Давай начинать, что ли. Слышишь, жена?

Она поднялась на крыльцо и спустилась обратно с каким-то топориком.

— Крови не боитесь? — спросил лесничий.

_____

[1] Привет! (*лит.*)

Зверев не ответил. Неждана передала топорик мужу и оттянула голову первой из висящих индеек. Птица издала страшный звук, как будто сказала какое-то слово, картавое, с ужасом и удивлением. Лесничий вздохнул и ударом топорика отсек ее голову.

Из обезглавленного тела хлынула кровь, а Неждана уже оттянула голову второй, потом третьей, четвертой. Крови было много, и Зверев понял, почему оба они были в резиновых сапогах. К холодному свежему воздуху примешался тяжелый кислый запах, и в будке за домом завыла собака.

— Закончим сейчас, можно чаю попить, — оборачивая к Звереву раскрасневшееся лицо, спокойно сказал ее муж. — Ведь вы же из города топали, так ведь? Устали, наверное?

Зверев махнул рукой и, не оборачиваясь, быстро пошел обратно. К пяти он добрался до городка и только в номере гостиницы начал постепенно приходить в себя. На память ему пришел недавний разговор в студии, в котором несколько человек обсуждали, имел ли право Тарковский заживо сжечь корову на съемках «Андрея Рублева».

И что он сказал тогда? Что он сказал?

— Тарковский, разумеется, был фанатиком своего дела. Для него не существовало никаких запретов, если речь шла об искусстве, — сказал тогда Зверев. — Я, может быть, сам и не стал бы жечь корову, но я не сужу. Он великий художник. Художнику много позволено разного.

И как на него закричала тогда безумная эта румынка! (Сам Зверев считал ее фильмы плохими, но с нею самой был всегда очень вежлив.)

— А кто им позволил? — кричала она. — Кого он спросил? Я думаю, дьявола! Больше-то некого! А дьявол, он и не такое позволит!

Отношение к Тарковскому на студии было особым, и метка «великого художника» столь прочно прилипла к нему, что даже такая простейшая вещь, как жалость к ни в чем не повинному существу, принявшему мученическую смерть, почему-то нужную для весьма посредственного фильма, — даже такая естественная вещь, как жалость к этому существу, и недоумение перед не знающей границ человеческой жестокостью и то по привычке не упоминались. Ну, нужно ему было сжечь, он и сжег. Одною буренкою меньше на свете. Тем более что давно уже не было в живых самого Тарковского, и многое списала его ранняя смерть и его тяжелая болезнь, приведшая к смерти, поэтому облачко грустной легенды витало над этой, как думали многие, страдальческой жизнью.

Зверев отлично помнил, как он отмахнулся тогда от румынки и спора о дьяволе не поддержал.

Сейчас, лежа одетым, в перепачканных грязью башмаках на кровати, он слышал хрупкий мелодичный звук, с которым падали на землю отрезанные птичьи головки, и чавканье грубых сапог двух людей — мужчины и женщины, себе запасающих на зиму пищу. Он чувствовал, как отвращение к ней и страх перед нею смешиваются с таким невыносимым физическим желанием ее тела, которого прежде не знал, о котором не подозревал. А может быть, дело не в этом. Ему до тошноты хотелось хоть на десять минут подчинить ее себе, доказать ей свою силу, измучить ее, истерзать, надругаться, а после уехать, забыть навсегда.

Под утро Зверев заснул, и ему показалось, что он лежит в постели рядом с Нежданой и обнимает ее. Но тут она шепчет, что нужно бежать — сейчас придет муж. Проклиная все на свете, Зверев с головой накрывается простынею, понимая, что лесничий тут же увидит, что в постели кто-то есть, но Неждана сильно надавливает своим локтем на левую сторону его груди, и он замирает. Лесничий входит в комнату, с грохотом снимает и бросает в угол свои мокрые, красные сапоги, смотрит на постель, но, не заметив на ней никого, кроме Нежданы, ложится прямо на простыню, и Зверев начинает задыхаться. Он понимает, что нужно терпеть и ждать, пока этот мрачный хозяин уйдет, а то и его сейчас, словно индейку, разрежут топориком. Но тело лесничего давит на горло, и Зверев почти что теряет сознание.

— Да здесь же он. Что ты, не видишь? — сказала Неждана.

— Не вижу. А где? — И лесничий затрясся от хриплого смеха.

Зверев перестал дышать и умер. Смерть сделала его невидимым, и, радуясь своей свободе, он вылез из-под простыни и оказался не в доме лесничего, а на съемках своей новой картины по повести Алексея Толстого «Детство Никиты». Он вспомнил, что съемки остановились на том эпизоде, где Никита с отцом идут в деревню смотреть, как будет в хлеву отеляться корова. По поводу этого эпизода было много споров, и Зверева предупреждали, что он скатывается к ненужному физиологизму и натуралистичности, но он, как всегда, настоял на своем. Сейчас, в его сне, большая, с густыми прямыми ресницами, корова лежала на грязной соломе и громко мычала от боли.

— Снимайте, снимайте скорее! Где звук? — сказал быстро Зверев и хлопнул в ладоши.

Но рядом с ним не было ни одного человека, и вообще не было никого — ни птицы, ни зверя — одна большеглазая эта корова, смотрящая с робкой надеждой, как будто она ждала помощи.

Когда он проснулся в холодном поту, за окном синело холодное утро, и женские голоса спорили о чем-то по-литовски. Зеркало в ванной показало ему бледное, заросшее желтыми колючками лицо с затравленным и неприкаянным взглядом. Это лицо не могло принадлежать режиссеру Звереву, веселому и обаятельному человеку, коллекционирующему пейзажи. Это было лицо бомжа, привокзального попрошайки, и за плечами его не могли стоять ни международные фестивали, ни призы, ни дружеские отношения с Робертом Де Ниро. Была только пьяная русская жизнь.

Он выпил кофе в холле гостиницы и тут же пошел прямо в лес. Дорога занимала около часа, и, пока Зверев шел, он старался ни о чем не думать и ничего не загадывать.

На дворе уже не было следов вчерашней крови, их присыпали песком, и балку, всю в брызгах и красных подтеках, убрали. Нежддана вышла на крыльцо, увидев его из окна, и стояла спокойно, высокая, тонкая, в бархатном обруче на длинных своих волосах.

— Одна ты? — спросил ее Зверев.

— Одна. Муж с братом пошли на охоту. Зачем вы опять прилетели?

— Ты знаешь зачем.

— Ничего я не знаю, — сказала она. — У вас в Москве женщины нету?

— Есть женщина. Это неважно.

Она усмехнулась.

— В России у вас говорят, что мужчина — кобель: засунуть скорей да бежать.

Не отвечая ей, он поднялся по ступенькам. Теперь они стояли рядом.

— Ну, может, хоть в дом позовешь? — спросил Зверев.

— Входите, — сказала она.

Вошли вместе в комнату. Он сел рядом с печью на низенький стул.

— На этот не надо. Он детский.

— У вас дети есть?

Она побелела.

— Теперь уже нету.

Такого ответа он не ожидал.

— Вы сядьте сюда. — Она показала рукой на диван.

Он сел.

— Не стоит сюда приезжать. Муж, кажется, понял.

— Да мне что с того?

— Он может убить, покалечить.

— Убить? — он переспросил.

— Да, убить.

Глаза ее были прозрачными.

— Ты переменился, — сказала она. — А летом был жирный какой-то.

— Теперь не до жиру. — И он усмехнулся.

— Хотите со мной переспать или как? Свои надоели?

Во рту у него пересохло.

— Хочу. Даже очень.

— Я вас во сне видела. Правда, — сказала она. — Танцевали мы с вами.

— Я плохо танцую.

— Во сне танцевал хорошо.

— Ну разве что только во сне.

Она опустила глаза.

— Ну, как? Отогрелись? — спросила она. — Теперь уходите.

— Нет, я не уйду.

— Тогда я уйду.

— Послушай, Неждана!

— Ну, что?

— Поедем со мной.

— Сказала же, я никуда не поеду.

— Тогда объясни почему.

— Нет, вы объясните. Пришли. Вас не звали. Зовете поехать в Москву. Музеи смотреть?

— Я женюсь на тебе.

— Так замужем я! — засмеялась она.

— Да видел я этого мужа!

— И что? Не понравился?

Весь их диалог становился нелепым. Зверев вскочил и близко подошел к ней. Она не пошевелилась. Он с силой притянул ее к себе и попытался поцеловать. Она затрясла головой.

— Уходи.

Он прижал губы к ее волосам.

— Не знаешь ведь ты ничего, — прошептала она.

— Тогда расскажи.

— А кто ты мне, чтобы я вдруг рассказала?

— Давай я тебя... — Он запнулся. — Давай мы полюбим друг друга, и все.

Она оттолкнула его.

— А потом?

— Потом разведешься...

— Иди, — сказала она.

Лицо ее переменилось.

— Во сколько вы съемки хотите начать? — спросила она очень внятно и громко. — Но я должна мужа спросить. Вот и он.

На крыльце послышались быстрые тяжелые шаги. Лесничий открыл дверь и остановился. За лесничим стоял прямой бородатый человек, похожий на великана, которого изображают на рекламе местного литовского пива.

— Опять вы пришли. — И губы лесничего стали такими, как будто покрылись густым серым инеем.

Неждана пожала плечами и что-то сказала ему по-литовски.

— Жена говорит, вы по делу пришли. Я верю жене, а иначе бы...

— Что? — смеясь, спросил Зверев. — Иначе убил бы?

— Убил бы, — ответил лесничий.

Не переставая смеяться, Зверев поднял свою куртку, упавшую на пол со стула, обогнул лесничего, обогнул бородатого с пивной рекламы и на пороге обернулся, чтобы еще раз посмотреть на Неждану. Ее уже не было в комнате.

Глава четырнадцатая
СТРАДАНИЯ ОТЦА НЕПИФОДИЯ

Читателя вовсе не нужно обманывать, и лучше ему знать печальную правду: несмотря на сан, несмотря на то, что народ валом валил на его одухотворенные проповеди, несмотря на расположение к себе самого высокого начальства, отец Непифодий был страшно несчастлив.

И такие откровенно безобразные и мучительные мысли посещали его в последние месяцы, что несколько раз он в сердцах и побил себя самого очень твердой веревкой — и больно побил, не щадя, как чужого, — а раз даже выдрал почти изо лба вполне еще крепкую пегую прядку. И что? И нисколько ведь не помогло. Очень увлекла его также традиционная и расхожая, впрочем, идея, что грешная страсть упраздняется только во всем ей противной и праведной страстью. В качестве такой чистой и праведной страсти, с помощью которой все остальные, грешные страсти должны упраздниться, отец Непифодий и выбрал Таисию. Таисия была не только нехороша собою и как-то весьма неприятно зубаста, но при одном взгляде на плоское и однообразно-озабоченное лицо ее любой нормальный человек тут же начинал испытывать отвращение ко всему плотскому и съедобному: от женского тела до бублика с маком. Хотелось поститься и уединяться. Таким обладала Таисия свойством.

Призвавши некрасивую и немолодую монахиню к себе в прислуги, отец Непифодий поставил перед собою трудновыполнимую задачу: усилием собственного воображения распространить непривлекательность матушки Таисии на весь остальной женский пол. Во всех теперь женщинах видеть Таисию. Не учел он одного факта: желаний самой этой матушки. Таисия не случайно пошла в монахини: несмотря на некрасивость лица, а также нескладность громоздкого тела, молодость ее была наполнена страстями, и всякое с ней приключалось: такое, что даже и вслух-то не скажешь. Однако врожденная твердость характера грехи одолела. Принявши постриг, Таисия стала весьма целомудренной, молилась и денно и нощно и злобно смотрела на тех прихожанок во храме, которые скромно стояли в платочках, держась за свои животы. Из их животов ожидались младенцы. В мозгу у Таисии все теперь были блудницы и грешницы. Род же людской, вернее сказать, продолжение рода, нисколько Таисию не беспокоил. И так обойдемся, хватает народу. Она никого не любила, а то, что Христос говорил о любви, вообще как-то даже всегда пропускала: любовь ей как свойство была непонятна. Грехи, наказание — дело другое. Тут сердце Таисии просто пылало.

Попав в услуженье к отцу Непифодию, Таисия стала замечать за собой очень странные проявления. Ей, например, все время хотелось петь. При полном отсутствии музыкального дарования подобное желание не может не вызвать тревоги, и Таисия наложила на себя суровое наказание: в течение целой недели не спать, читая апокрифы и жития. Другая бы рухнула и померла. На то и другая! Таисия же поставила в уголок кувшин с ледяной водичкой, и как только выпуклые глаза ее начинали слипаться, тут же брызгала на себя из этого кувшина и делала несколько больших глотков. И сон проходил. Всю эту неделю ей петь не хотелось. Таисия повеселела, вздохнула с большим облегчением — ну, пронесло! Но зря ликовала. Неделя без сна очень скоро закончилась, и срок епитимьи закончился с нею, и пенье вернулось как ни в чем не бывало. Перемывая посуду после обеда, Таисия приоткрыла некрасивый свой рот и несколько даже визгливо запела:

Что б ни случилось, я к милой приду
В Вологду-гду-гду-гду, Вологду-гду!
К до-о-ому, где резной палиса-а-ад!

Через десять минут в кухню заглянул отец Непифодий.

— Ты пела, матушка?

Таисия порозовела.

— Ну, я.

— Тебе это, матушка, ведь не по чину... Монахиня ты...

Таисия сжала тяжелые руки под черным передником.

— Дак я негромко... Душа попросила.

Отец Непифодий отчаянно сморщился.

— Ну, ты уж помягче, а то как-то очень...

Он вышел. Таисия вытерла слезы обиды и с остервененьем взялась натирать большую бугристую редьку. Отец Непифодий послушно съедал полчашки такой редьки с медом от сильного кашля. Таисия предпочитала простые народные средства леченья. Таблетки в красивых цветных упаковках спускала в уборную, не доверяла. Отец Непифодий ни в чем не перечил.

Так вот, натерев этой редьки, монахиня почувствовала, как скребет у ней в горле, и тут же запела, как птица на ветке:

Ой, цветет кали-и-ина в поле у ручья-а-а!
Парня молодо-о-го полюби-и-ила я-я!

Видать, это громкое пенье Таисии являлось частицею Божьего замысла. Оно начиналось с восхода и длилось до самых потемок, хотя с перерывами.

Отец Непифодий, изрядно намучившись, решил: пусть поет. Поскольку ему добавлялось мучений и от изобилия этого пения не только что женщины — весь Божий мир тотчас же терял привлекательность.

Кроме того, что Таисия запела, она начала позволять себе и разные другие вольности: подсовывала, к примеру, отцу Непифодию укоризненные записочки, в которых сообщала ему о его прегрешениях и давала совершенно неправомочные советы. Придя как-то раз от заутрени и севши за стол, чтобы завтракать, отец Непифодий с удивлением обнаружил в хлебнице целую гору каких-то серо-синих бумажек. Развернув одну, он увидел корявым и недружелюбным почерком написанное ему нарекание: «А если ты Божий слуга, зачем ты сегодня так лыбился?» Оторопев от прочитанного, отец Непифодий развернул еще одну записочку: «Зачем на поганую девку глядел, когда причащал?» Остальные бумажки отец Непифодий даже и разворачивать не стал, а, отодвинув от себя чашку с чаем, призвал к себе матушку Таисию.

— Записочки вы мне писали? — спросил он ее очень резко.

— Ну, я, — ответила мрачно Таисия.

— Зачем беспокоились, матушка? Я вас пригласил мне по дому помочь, а вы себя ангелом, что ль, возомнили?

Таисия сразу набычилась.

— Боюсь, пропадете вы, батюшка. Вот что. О ближнем радею.

У отца Непифодия задрожали руки.

— А вы не радейте! Свои дела есть!

— Возьму в мир вернусь! — Таисия всхлипнула громко. — Найду человека по сердцу, с понятием...

— На все воля Божия, матушка! Конечно, в миру вам просторнее будет...

Матушка подозрительно посмотрела на него.

— Напрасно вы так раскудахтались, батюшка! Куда мне, монахине, в мир возвращаться? А то, что вот *вы* о просторе мечтаете, так это младенцу последнему видно! Хотела я вас остеречь от греха, да не получилось! Погибнете, батюшка!

Отец Непифодий вздохнул, но сдержался.

— Господь не допустит. Молюсь и надеюсь...

— Надейся, надейся... — под нос себе пробормотала Таисия и с достоинством удалилась.

Ясно было по всему, что затея совместного платонического проживания с самой непривлекательной из женщин провалилась, ибо именно эта женщина и стала сильнейшим источником раздражения.

С тоскою разглядывая фотографии собственной молодости, где был он еще не при сане, а просто Валерой, отец Непифодий пугался того, что с наглостью диких растений (вернее сказать, сорняков) прорастало в его неустойчивой, жалкой душе. Ощущение было таким, как будто его расчленили на части и каждая часть требовала к себе особого внимания. Раньше, когда отца Непифодия спрашивали, бывало, как выглядит Бог и почему человеку нельзя хоть раз увидеть Его, чтобы потом уже не сомневаться, он отвечал очень просто, однако продуманно: «А можете ли вы увидеть любовь?» При таком ответе спрашивающий обычно таращил глаза, а отец Непифодий продолжал:

— Вы можете увидеть влюбленных, любящих, можете увидеть младенца — плод человеческой любви, но саму любовь вы увидеть не можете и объяснить ее не можете, потому что она принадлежит к числу самых великих тайн, завещанных нам от Господа.

Услышав такое рассуждение, паства чесала в затылках, но отцу Непифодию верила на слово и не сомневалась. Да сам-то он тоже ведь не сомневался! Вторым вопросом обычно был вопрос о посмертной жизни. Учитывая, что люди, приходящие на его проповеди, не отличались ни большим воображением, ни особой ученостью, отец Непифодий шел на компромисс: если бы он имел дело с какими-нибудь европейскими богословами, он бы, конечно, с удовольствием блеснул и цитатами из отцов церкви, и ссылками на египетскую «Книгу мертвых», а заодно и на тибетскую книгу под тем же названием, и легко было бы припугнуть сердечных, процитировав, например, слова «богоравного» Ахиллеса из гомеровской «Илиады»,

который так красноречиво жалуется Одиссею
из подземного царства Аида:

— О Одиссей, утешения в смерти мне дать
                                      не надейся:
Лучше б хотел я живой, как поденщик,
                              работая в поле,
Службой у бедного пахаря хлеб добывать
                              свой насущный,
Нежели здесь над бездушными царствовать,
                                      мертвым.

Но европейские богословы на Клязьму не
приезжали, и отцу Непифодию приходилось до-
вольствоваться ссылками на медицинские сви-
детельства, от которых кровь в жилах останавливалась. Старухи тут же начинали оседать друг
на дружку и креститься, а интеллигенция — в
основном техническая, ищущая точных и на-
учных подтверждений робкому своему религи-
озному чувству, победно приосанивалась.

— Я предлагаю вам, — вдохновенно говорил отец Непифодий, — записи американского
врача Роллингза, которому приходилось часто
иметь дело с реанимацией пациентов. Вот пишет он, как делает массаж сердца практически
умершему человеку. И что вы думаете? Как
только на минуту к этому человеку возвраща-
лось сознание, он начинал умолять врача: «Доктор! Ради Бога, продолжайте!» Роллингз, разумеется, поинтересовался, что же его так пугает.
«Я ведь в аду! — закричал пациент. — Как толь-

211

ко сердце мое останавливается, я тут же оказываюсь в аду!»

Понятно, что врал этот Роллингз нещадно, но кто ему, Роллингзу, станет судьею? Не он один врет, а работа тяжелая — хотелось ее приукрасить немного.

Но все это было раньше: и проповеди, и примеры, а теперь отцу Непифодию самому стало страшно. И так страшно, что он просыпался по ночам и вскакивал, обливаясь холодным потом. При жене он не сомневался, что смерть — штука временная, и помри кто-нибудь из них первым, второй последует за ним через разумное время, и встретятся они в пятом каком-нибудь измерении, где, может быть, кущи, а может, не кущи, но точно не хуже, чем летом на Клязьме. Со смертью своей круглолицей, смешливой, всегда вкусно пахнущей Тани отец Непифодий почувствовал, как он нуждается в твердом сейчас доказательстве того, что есть вечность и там, на просторе, гуляет сейчас дорогая жена. Ах, если бы знали его прихожане: и эти старухи в линялых платочках, и эти вот интеллигенты в очках, и эти «крутые» в крестах во всю грудь, в какое отчаянье он приходил, когда умолял ее, Таню, родную, подать ему знак, сообщить, что напрасно он так надрывается, так себя мучает!

А она все улыбалась с фотографий, щурилась бархатными глазами, и, напрягшись, отец

Непифодий почти что и слышал, как Таня зовет из столовой обедать:

— Валера-а! Вале-е-ера-а!

Очень было плохо спать одному в кровати. Кровать у них с попадьей была широкая, дубовая, перина мягкая, подушки Татьяна Петровна взбивала так, что было похоже на пышное облако. Сама была тоже горячая, пышная. Придешь, например, от умершего, грустный, а тут тебе — эта перина с женою! Плывет на ней, словно на лодке небесной. И сразу уютно, и сразу тепло.

Страх перед тем, что он не выдержит и опять запьет, накатывал с такой силой, что отец Непифодий сам лично убрал все спиртное. В подвал снес и спрятал. Но люди ведь не манекены. Гуляют! На свадьбах гуляют, на Пасху гуляют, а на Рождество *так* гуляют, что даже мороз им не страшен, метель не берет! Его приглашали, просили и звали, и он приходил. И садился, и пил. И ел за троих. В одной умной книге прочел: «депрессия сопровождается чувством острейшего голода».

Наверное, тот, кто писал, сам проверил.

А кстати, о книгах. В субботу после Всенощной к отцу Непифодию подошел неизвестный с тревожными голубыми глазами и преподнес ему целую стопку каких-то книжонок.

— Зачем это мне? — неприветливо светским ворчливым голосом спросил отец Непифодий.

— Почитайте, батюшка, — загадочно, но с той же самой тревогой сказал неизвестный.

Отец Непифодий вздохнул и, боясь, чтобы его не задержали бесполезным разговором, взял книжонки и принес их домой. Поужинав ленивыми варениками, которые корявыми своими и узловатыми руками налепила ему несговорчивая Таисия, он надел пижаму, купленную еще покойной Танечкой, и, вздыхая, как глубокий старик, взобрался на одинокую свою перину.

Книжонки, которые ему всучил голубоглазый, принадлежали перу неизвестного Бурислава Вострикова и представляли собой серию под странным названием: «Исцеление организма с помощью мыслеформ». В первой, самой тоненькой книжонке Бурислав Востриков восторженно объяснял читателям, что такое золотое сечение, и эту книжонку отец Непифодий, запутавшись в числах и обилии математической терминологии, быстро отложил. Вторая книжонка увлекла его несколько больше, да и название ее было интригующим: «Практическое руководство по исцелению организма человека силами мыслеформ со включением в них Сознания Космоса, то есть энергий и информаций тонких материй». В предисловии Бурислав Востриков обещал научить любого полностью восстановить свое энергетическое, психическое и физическое здоровье путем приобщения к Космическому Яснопознанию. Тут же перечислялись и двадцать восемь целостностей Сознания Космоса:

Вибрации Любви Матери-Земли

Вибрации Любви Царицы Небесной Богородицы

Сознание Вечной Молодости Амриты

Сознание Творца Иерархии Благодать

Сознание Рейки-Мастер

Сознание AROLO — TIFAR

Универсальное Сознание

Сознание Музыки Сфер

Сознание Пламени Седьмого Фиолетового Луча

Сознание сорока девяти Высших Внеземных Цивилизаций

Сознание Внеземной Цивилизации Атлантов

Вибрации Магнитной Ауры

Вибрации Книги Знания от Мевланы

Вибрации Любви сорока девяти Предвечных Сущих

Вибрации Энергии Чистой Праны четвертого измерения

И много других очень сложных вибраций.

— Господи Боже мой! — простонал отец Непифодий. — Правду говорят: «Если Господь хочет наказать, он отнимает разум...»

Он закрыл глаза и попытался заснуть. Заснуть было трудно, потому что неугомонная Таисия грохотала тарелками и пела при этом визгливо, но мрачно:

Я-я-я ехала домо-о-ой!
Душа была полна-а-а
Неясным для само-о-ой,
     каким-то но-о-о-вым счастьем!
Казалось мне, что все с таким уча-а-а-стьем,
С такою ла-а-аскою смотре-е-е-ли на меня-я-я!

— Дура! — яростно, совершенно себя не контролируя, прошипел отец Непифодий. — Вот дура несчастная! С ласкою на нее смотрели! Кто же на тебя, дуру, с лаской посмотрит?

Но тут же забыл о Таисии и перевел глаза с образа Богородицы, висящего в углу и слабо озаренного лампадой, на маленький фотографический портрет Татьяны Петровны, где она была снята в любимой им беленькой кофточке с черным бантом. Татьяна Петровна ему улыбалась, как будто сейчас поцелует. Отец Непифодий схватился обеими руками за редкие виски свои и закачался из стороны в сторону.

— Чего я боюсь? — вслух спросил он себя самого.

— Ты знаешь чего, — ответил ему изнутри тихий голос. — Ты смерти боишься. Как все.

— Нет, я не боюсь. — И отец Непифодий вдруг расхохотался в своем полумраке. — Ведь нет никого, кто бы с этим не справился...

— Да что ты все шутишь! — сказал тот же голос. — Пока была Таня, так ты не боялся, а как померла... Ты, кстати, твердил, что стремишься за нею, не помнишь? А вот как тебе бы сказали: «Валера! А хочешь опять все сначала? И смерти не будет, и старости? Хочешь?»

— И Тани?

— Зачем тебе Таня, когда все сначала?

От такого кощунственного ответа — притом, что отец Непифодий отлично понимал, что это он сам же себе и ответил, — белоснежная перина вдруг словно бы сдвинулась с места и вся поплыла, как корабль. А он закачался на ней, вроде лебедя.

— Господи. Господи. Господи, — забормотал он. — *Скажите робким душою: будьте тверды, не бойтесь, вот Бог ваш, придет отмщение, воздаяние Божие, Он придет и спасет вас...*

Он замер, прислушиваясь. Слова пророка Исайи, загоревшиеся в нем, сделали свое дело — на кухне замолкла проклятая матушка.

— *Тогда откроются глаза слепых и уши глухих отверзутся. Тогда хромой вскочит, как олень, и язык немого будет петь, ибо пробьются воды в пустыне и в степи потоки...*

И сердце его благодарно забилось:

— *И превратится призрак вод в озеро и жаждущая земля — в источники вод. В жилище шакалов, где они покоятся, будет место для тростника и камыша. И будет там большая дорога,*

217

*и путь по ней назовется путем святым, нечистый не будет ходить по нему, но он будет для них **одних**, идущие этим путем, даже и неопытные, не заблудятся.*

Глава пятнадцатая
ВСТРЕЧА ДВУХ АНГЕЛОВ

Дождавшись того, чтобы муж ее Саша скрылся за углом соседнего дома, и проводив глазами его широкие плечи и красивый затылок — Саша все молодился, шапку даже в морозы не носил, — Лиза глубоко вздохнула и сняла телефонную трубку. *Этот* номер она знала наизусть, и даже когда в клинике для излечения душевных недугов давали снотворное сильными дозами, она этот номер отнюдь не забыла. Расчет, что в это время дома у них, в Леонтьевском переулке, не будет никого, кроме Зои, был прост. Мальчик уйдет в школу, дочка — на работу, зять — на репетицию, а Зоя останется. У нее, правда, могут оказаться ученики, но всего не угадаешь, и Лиза торопливо набрала памятный номер.

Ну, вот. Подошла. И голос все тот же.

— Здравствуй, — сказала Лиза.

В трубке была тишина. Потом этот голос спросил:

— Лиза, ты?

— Конечно, — ответила Лиза.

Опять тишина.

— Зачем позвонила? *У вас все в порядке?*

Она испугалась за Сашу. Вот глупость. Как будто бы Лиза ей стала звонить, случись с ним, не дай Бог — не дай Бог! — случись с ним...

— У нас все в порядке, — ответила Лиза. — Мне поговорить бы с тобой...

— Да о чем? — воскликнула Зоя. — Ты, может быть, ищешь его у меня? Так ты ошибаешься. Нет его здесь.

— Я знаю, что нет. Но он мне и не нужен. *Сейчас* мне не нужен, а ты...

— *Я* нужна? — Вопрос прозвучал ядовито.

— Да, очень. Мне можно приехать?

— Куда?

— К тебе.

— Ко мне совершенно нельзя. Но я могу выйти.

— На улицу?

— Мне все равно. Могу и на улицу. Лучше во двор.

— Давай во дворе.

— Ну, давай. Через сколько?

— Минут через тридцать.

И одновременно повесили трубки.

Лиза сначала думала: пойду, как есть. Потом почувствовала внутри как будто какую-то колкую змейку, которая ей прошипела беззвучно: «Подкрасься немного, оденься нормально». Она послушно подошла к зеркалу, подвела глаза и причесалась, как раньше: прямой пробор и низкий пучок на затылке. Надела пальто и взяла в руки варежки. Но даже такие простейшие вещи, как вот причесаться, одеться, подкраситься, ее утомили своею ненужностью.

Доехала до Леонтьевского на троллейбусе. И тут же пошел этот легкий снежок. Тот самый снежок, который заметил и муж ее Саша, покинув обитель отца Непифодия, и няньки, грызущие семечки в сквере, и тучный Крылов со своими зверятами.

Под этим снежком, в серебристом сверкании, она и увидела Зою на той же, единственной в тихом дворе, старой лавочке. А Зоя увидела Лизу, как будто в жасминовых всю лепестках, но сутулую, с лицом почти старым, печальным и светлым, и встала навстречу.

Приблизились две ангелицы друг к другу и обе слегка потемнели.

— Ну, здравствуй, — сказала ей Лиза.

— Привет, — ответила Зоя. — Что скажешь? Стояли, смотрели друг другу в глаза.

— Давай лучше сядем, — сказала ей Лиза.

— Снег выпал, намокнем, — ответила Зоя. Но Лиза уже опустилась на лавочку.

— Мы сколько не виделись?

— Сколько? Лет двадцать.

— Ну, двадцать — не двадцать, а около этого.

— Ты долго болела?

— А я не болела.

— Так что ты там делала? В клинике этой?

— Послушай, ведь я не за этим пришла.

— Не знаю, зачем ты пришла.

— Скажи, а зачем он тебе был так нужен? Полно мужиков... Ну, ведь были возможности. И замуж, и так...

— Тебе это Саша успел сообщить? Что были возможности замуж и *так?*

— Саша ни разу в моем присутствии имени твоего не упомянул. Не веришь — спроси у него самого.

— Нет, верю. Он и твоего не вспомнил ни разу, когда был со мной.

И вдруг замолчали и та и другая.

— Я тебе вот что скажу. Пока ты каталась по разным курортам, мы с ним были вместе. Мы ездили вместе в Тарусу. Раз восемь. И я по ночам просыпалась от счастья. Почти забывала, что я — не жена.

— Я не по курортам каталась. Ребенка хотела. Лечилась, где можно. И ты это знаешь.

Опять передернулись обе.

— Ребенка хотела! Он что, с тобой спал?

— Да, спал. Иначе зачем я лечилась?

— А мне говорил, что не спит.

— Значит, врал.

— Но ты же ведь знала, что я существую!

— Сначала не знала. Он вел себя так, словно этого нет.

— Тебе хорошо было с ним?

— Я Сашу любила всегда, он мой муж.

— Не бойся, я помню. В Тарусе все было иначе...

— В Тарусе он был не женат или как?

— Он там заболел. Один раз. Мы снимали там дом. Простой, деревенский, но очень хороший. Он заболел, у него была температура. И я за ним ухаживала. Я поила его с ложечки. Он горел. Я вставала ночью и кипятила молоко, отпаивала его. Он принимал таблетки из моих рук. Все по часам. Когда он засыпал, я ложилась рядом и согревала его собой, если у него был озноб. Читала ему вслух. Через три дня ему стало лучше, мы взяли лодку, и я села на весла. Выплыли на середину реки. Я посмотрела на него. Он был бледный после болезни, ни кровинки. И я подумала: «Боже мой, как же сильно я тебя люблю».

Лиза огненно покраснела.

— Мне, Зоя, подробности вашей идиллии...

— Не хочешь ты этого слышать. Понятно.

— Я, может быть, и не хочу. Не могу. Но ты все равно ведь сейчас не утерпишь.

— Да, не утерплю. Ты пришла, теперь ты и слушай. В Тарусе он был мне родным, понимаешь? И нежность, как будто бы он — мой ребенок. Тебе это трудно, конечно, понять.

— Умеешь ты, Зоя, ударить. Умеешь. Конечно же, мне не понять. Ведь я не рожала, я не человек.

— Ты, Лиза, сама захотела подробностей. Мы были одни, нам никто не мешал. Никто не был нужен, о нас все забыли. Как в раковине. Тишина, темнота... Там был очень маленький, крохотный рынок. Я вставала чуть свет, бежала на этот рынок, покупала молока, яиц, еще теплых, ягод. Прибегала, он просыпался. Ему хотелось, чтобы я сразу легла рядом. Я сваливала на столе все эти ягоды, ныряла к нему в кровать, он меня обнимал...

— Ну, хватит.

— А разве же ты не за этим пришла?

И снова повисла тяжелая пауза.

— Нет, я не за этим пришла. Но если ты хочешь все начистоту, давай. Можно так. Лет двадцать не виделись, что уж теперь? Вы там, в этой вашей чудесной Тарусе, не каждый ведь день отдыхали, наверное. А я с ним жила каждый день. Я знала, что он съел на завтрак, на ужин. Какую рубашку надел на работу, куда мы пойдем в воскресенье. И даже тогда, когда ты появилась, он был моим *мужем. Моим.* Если мы приходили в незнакомую компанию, я всегда старалась подчеркнуть, что это — мой муж, часть меня. Встревала, когда он разговаривал с кем-то, брала его под руку...

— Это я помню! Мы встречали Новый год у Величанских. Я шесть платьев перемерила, пока купила черное, с вырезом на спине. Очень дорогое. Пришла туда с дочкой. Я знала, что вы тоже приглашены. Мы были с ним вместе за два дня до этого. Он сказал: «Раз ты так переживаешь, давай я не пойду. Скажу, что голова болит. Не пойду, и все!» Но я как раз и хотела, чтобы вы пришли. Во-первых, понять, что у вас происходит. И чтобы он видел меня в этом платье.

— Ты думала, он из-за платья со мной разведется?

— А я и не думала вовсе. Я просто сходила с ума. Мы пришли первыми, и в половине двенадцатого появились, наконец, вы с Сашей. Ты была в коричневом шелковом балахоне, тебе очень шло...

— Да помню! В шкафу вон висит...

— Я чуть не умерла, когда вы вошли. Какая ты была красивая, оживленная, наглая. Как крепко держала его за рукав. У меня в глазах почернело. Пошла в ванную, смотрю в зеркало, ничего не вижу. Накрасила губы на ощупь. Выхожу. Дочка оглядывается, ищет меня. Пробило двенадцать. Все начали чокаться, пошли поцелуи. И я увидела, как вы поцеловались, и он так ласково, сдержанно — знаешь, как он умеет? — погладил тебя по плечу. Даю тебе слово, меня тогда инсульт не разбил только потому, что мы были на двадцать лет моложе! Сейчас бы, наверное, разбил. А потом он подошел ко мне — все ведь ходили по кругу — и мы с ним тоже поцеловались. Я закрыла глаза и положила ладонь на его затылок. Чтобы он не сразу отошел. И, главное, чтобы он вспомнил, как мы целовались на чужой нетопленной даче два дня назад. Он вспомнил, конечно.

— Я, Зоя, могу и продолжить. Мы пришли с этого Нового года в четыре утра. Он был слегка пьян, возбужден. И спать нам обоим совсем не хотелось. И он мне сказал: «А давай еще выпьем. Шампанского. Только вдвоем — ты и я». Мне плакать хотелось от счастья.

— Ну, что теперь плакать! Тебе сейчас сколько?

— Мне? Ты же ведь знаешь.

— А мне шестьдесят.

— Да кто тебе даст шестьдесят?

— А ты на год младше. Но ты изменилась там, в клинике.

Тут Лиза и вспомнила звездное небо. И вспомнила то, что хотела сказать. Но хлынули новые, дикие речи.

— Я попала в клинику из-за тебя.

— Ты? Из-за меня?

— Я знала про все. Не сразу, конечно.

— Но он же *тебя* так берег! Не меня. Я — что? Это жен берегут! Он разве тебе говорил про меня? Другие тебе доносили, не он. А он пресекал все твои разговоры! И дома ему нужен полный покой. И чтобы никто никогда не скандалил. Вот он и берег тебя. Да еще как! За мой, правда, счет. Ведь мы с ним скитались по разным квартирам. То там ключ дадут, а то здесь. Нет, ты подожди! Ты дослушай сначала. Поехали мы в Ленинград. Это счастье! На целых пять дней. Не знаю, уж как ему там удалось, чего он наплел...

— А он попросил, чтобы я с ним поехала. А я не могла, но зато успокоилась.

— Как все гениальное просто, подумай!

— Так что в Ленинграде?

— А что в Ленинграде? Гостиница — люкс.

— Как же вас поселили?

— Дал взятку директору, тот поселил. Скрываться нам было особенно нечего, он был там один из всего института. Вокруг — незнакомые люди. Убегал утром на свою конференцию, а к двенадцати возвращался. Но ты знала номер этой гостиницы, и у нас разрывался телефон.

— Да, помню. Никто не брал трубку.

— Тогда я сказала: «Звони, а то подозрительно как-то. Звони. А я погуляю».

— Хитрила?

— Хитрила. Хотела проверить.

— А что проверять? Он уехал с тобой...

— Уехал! Но не забывал, что вернется! От этого и извивался, как уж! Так вот я сказала: «Звони. Я уйду». И правда ушла. Дверь закрыла. Но двери там тонкие, все было слышно.

— Так кто же солгал?

— Все лгали. Себя не забудь!

— Но я поплатилась за это! Не ты, а я поплатилась за это!

— Могла не платить. Ведь ты же все знала! Что ж ты не ушла?

— А что это я? Почему это я?

— Причина была недостаточной, что ли?

— Нет, *ты* и должна бы была его бросить! Ведь он никогда не хотел разводиться*!*

— А он говорил, что хотел.

— Неправда.

— Нет, правда. Он так говорил.

— Но он ведь расстался с *тобой*? Ведь расстался?

— Спроси у него.

— Тебе бы по трупам ходить!

— А кто у нас труп? Вроде все еще живы.

— И ты не краснеешь?

— А что мне краснеть? Лет двадцать ты знала, что он изменяет. Врала, притворялась, пока не свихнулась. Теперь, наконец, получила обратно. Он шагу не ступит со страху. Бери!

— Он больше не нужен тебе?

— Он мне нужен.

— Ну, я так и думала. Ты не отпустишь.

— Уже отпустила.

— На время, на время! Потом вырвешь с мясом. И полуживого.

— Зачем он мне полуживой? Ты не знаешь?

Снег в тихом дворе странно порозовел. Потом стал кровавого, мертвого цвета. Они заливали его своей кровью.

— Действительно не понимаю! Зачем? Ведь он человек нерешительный, мягкий...

— Он — мягкий? Да он же кремень!

— Я думала, Зоя, что ты поумнее.

— При чем здесь мой ум? Не умом его брали!

— А чем?

— Ты сама-то подумай.

— Я думала.

— Ах, да! В желтом доме, наверное!

— Какая ты все-таки дрянь.

— Извини.

И вдруг обе сникли.

— Ты знаешь, что я поняла?

— Нет, не знаю.

— А я ведь за этим к тебе и пришла.

— Я думаю, ты не за этим пришла.

— За этим.

Они замолчали.

— Тогда объясни, чтобы я поняла.

— Ну, как объяснить? Стояла я в клинике ночью. Одна. Смотрела в окошко. На окнах решетки, и вид из окна... Представь себе, темный загаженный двор, помойка, какие-то грязные ящики...

Зоя дотронулась до ее руки ледяными пальцами.

— Зачем ты мне это сейчас говоришь? Ведь ты пожалеешь.

— Нет, не пожалею.

— Тогда говори.

— Я Сашу любила до этого вечера. До этих вот окон с решетками.

— При чем здесь решетки? Я не понимаю.

— До этого вечера наша с ним жизнь была самой важной, важнее всего. И вдруг это кончилось.

— Кончилось что? Любовь? Ваша жизнь?

— Да, это все кончилось. А началось... Не знаю я, как объяснить.

— Я закоченею здесь, Лиза, с тобой!

— Ты знаешь, ведь я тебя так ненавидела! Я, Зоя, просила тебе даже смерти. И вдруг это все изменилось. Как будто не я.

— Зачем ты пришла ко мне, Лиза?

— Сказать тебе это. Я думала, может, тебе это нужно. И вот я сказала. А все остальное...

— Постой. Посиди.

— Я сижу.

— Я все-таки не до конца поняла. Простить, что ли, ты меня, Лиза, пришла?

— Да кто я такая — прощать, не прощать? Ведь каждый из нас за себя отвечает.

— А Саша? Он в курсе твоих настроений?

— Он был частью этих решеток...

— Решеток?

— Ну, это я так. Фигурально, конечно.

Лицо ее вдруг задрожало так сильно, что Зоя смутилась.

— Пойдем ко мне. Чаю хоть выпьем.

— Не стоит.

— Мы с Сашей расстались.

— Да это неважно.

— Ты знаешь, я тоже устала.

— Еще бы! Мы обе устали.

Невнятный этот и загадочный для любого постороннего человека разговор закончился тем, что обе женщины, лица которых вдруг осветились одним и тем же выражением спокойной безысходности, погрузились каждая в свои воспоминания. Но сбивчивая — опять-таки с точки зрения постороннего человека — встреча принесла свои плоды: они сидели рядом, и снег на них сыпал и сыпал, и женщины были похожи на птиц, немного намокших и запорошенных, но им уже было не страшно друг с другом. Бывает, что люди объединяются не только чтоб свергнуть трон государя, построить плотину, поднять целину, а просто вот так посидеть во дворе. И вот оказалось — на *это* потрачена целая жизнь. На *это* — на что?

Глава шестнадцатая
АННА И ЕЕ СНОВИДЕНИЕ

Алешину маму звали Анной, а в имени «Анна» ведь столько печали. Возьмите, к примеру, хоть Анну Каренину. Была бы она, скажем, «Дарья Каренина» — совсем бы другой разговор. Не вяжется с именем Дарьи Карениной ни Вронский, ни поезд, ни морфий, который пила по ночам героиня Толстого.

Но это все праздные речи. На свете была, есть и будет Каренина Анна, и Бог ей судья.

Вернемся к Алешиной маме. Выйдя замуж за малоимущего, однако очень талантливого артиста одного из самых прекрасных московских театров, — красивого, нервного и худощавого, к тому же и старше ее лет на десять, — она за многие годы совместной жизни с этим артистом привыкла думать о себе как о жертве и даже не была уверена, что любит своего мужа, который уж так истрепал ей все нервы, что только когда он вдруг заболевал, она вспоминала, насколько ей дорог вот этот уже постаревший, усталый, с набрякшими веками, но еще статный и с тем же насмешливым, нежным, упрямым и ласковым взглядом седой человек.

После скромной, но очень пьяной свадьбы он перебрался из общежития к ним на Серпуховку. Комната была одна, но большая, и тахта молодоженов была отгорожена ширмой, так что получалось почти что отдельное и независимое от мамы жилье. Но двум взрослым людям, к тому же новоиспеченным супругам, жизнь за ширмой сразу не понравилась, и они переехали в Переделкино, где сняли деревенский дом в поселке. Воду нужно было носить из колодца, а все удобства располагались во дворе. Через полтора месяца опять вернулись в Москву, пытаясь хоть что-нибудь снять, но мама, жалея ее и ее эти руки, которыми нужно играть на рояле, а пальцы распухли от сизой водицы, подернутой корочкой льда, вдруг сказала:

— Поместитесь здесь. Не беда.

Потом Анне стало казаться, что, несмотря на этот колодец и печку, которая не разгоралась, и эти сугробы, в которых тропинки протоптаны были мужицкими валенками, их время в поселке и было единственным, ни с чем не сравнимым и самым любовным.

Они просыпались друг в друге. За стеной сухая темноликая хозяйка ворчала на старую кошку, а в небе горел светло-розовый, чистый, хотя еще слабый Юпитер. Вставать не хотелось. Опять начиналась любовь, и, опомнившись от этой любви, она видела ели, согнувшиеся от обилия снега, и краешек неба, совсем голубого, и тонкий дымок из соседской трубы...

В Москве было трудно. Они раздражались на мать, друг на друга, и мать раздражалась на дочку не меньше, чем даже на зятя. Чувство, толкнувшее Анну и артиста друг к другу, заключало в себе яростную физическую страсть и требовало удовлетворения, которое в условиях этого коммунального жилья происходило быстро, судорожно, сдавленно и, главное, гораздо реже, чем хотелось. Мама спала чутко, просыпалась по ночам, зажигала ночник и читала, хотя иногда уходила на кухню и там пила чай и читала, но ни артист, ни Анна не знали, когда она тихо, как тень, вдруг вернется, вскользнет под свое одеяло и там затаится, как будто уже крепко спит, что было совсем неестественно даже.

В Москве Анне пришлось сделать один за другим два аборта, потому что ребенок в этих условиях был физически невозможен: к маме приходили ученики, и деньги, которые они платили за уроки, были основным источником семейного благополучия. Какие же ученики, если прямо в квартире пищит новорожденный? К первому аборту Анна отнеслась истерически, кричала ему, что они убивают своими руками ребенка и он виноват. Он молчал. Когда на такси они ехали в клинику — известную клинику на Пироговке, — пошел сильный снег, и машины ползли со скоростью белых пушистых улиток. Горели все фары, и были аварии. Муж ее внимательно смотрел в окошко, как будто пытался внутри снежной мути увидеть кого-то, а может быть, что-то. От этого было досадно и грустно. Они ведь с ним ехали не на спектакль, и не в магазин, и не в гости!

— Послушай... — сказала она.

— Что? — спросил он, по-прежнему глядя в окно.

— Давай развернемся, давай не поедем.

Но он с таким недоумением и страхом обернулся к ней и такое сердитое выражение было на его лице за то, что она говорит эти глупости, что Анна вся сжалась.

И на второй год был аборт, к которому она отнеслась уже легче, как будто бы речь шла совсем не о жизнях, совсем не о детях, совсем не о душах.

Когда она на третий год вновь забеременела, напал лютый грипп на Москву, и начал косить перепуганных жителей, и в каждой семье кто-то заболевал, а многие — так тяжело, что кончалось больницей и даже летальным исходом. Проболев почти пять недель, Анна пропустила то время, когда еще можно, не рискуя здоровьем матери, убить в ней спокойно дитя и жить дальше. Она прибежала к знакомому доктору, и тут оказалось тринадцать недель. Она ведь не знала, что мальчик в ее животе размером был с персик и весил почти двадцать грамм, не знала, что он с наслажденьем сосет свой еле заметный мизинчик, а грудка его подымается вверх, как будто уже при дыхании. Именно незнание и помогло ей принять жесткое, однако практически разумное решение: вытравить из своего организма ненужного мальчика с персик размером. Отсюда взялась эта самая хина, которая, кстати, и не помогла. И был кипяток, и была аскорбинка. И — не помогли. Персик рос, сосал свой не видимый миру мизинчик и плавал в маме, словно рыбка в аквариуме.

И вдруг жарче солнца нахлынуло счастье. Им дали квартиру вот в этом вот доме, вот в этом дворе, где музей Станиславского и, сонный, сидит в нем солидный смотритель и дремлет блаженно внутри бакенбардов. Теперь уже не было смысла ребенку опять улетать в небеса, где голубка, душа его, станет звездою бессмертной, а может быть, ангелом, тихим и кротким.

Короче, сперва переехали, обосновались, рояль заблестел у окна, и пюпитр расправил худые железные плечи, а вскоре родили младенца Алешу. И все они: бабушка, мама и папа-артист, уже пьющий, хотя и талант, — не просто его обогрели любовью и нежной заботой, как и полагалось, а ревностно как-то решили, что мальчик не должен попасть под чужое влиянье. Поэтому не было ни детсадов, ни всяких прекрасных кружков рисованья, ни лепки, ни даже японской борьбы, — как раз набирали детей для борьбы, и тренер был маленьким злобным японцем.

Если бы не то, что муж стал со временем пьяницей, и если бы не то, что на него со всех сторон вешались женщины, и если бы не то, что мама, несмотря на свои шестьдесят лет, продолжала нервную любовную биографию, наверное, Анна могла бы сказать, что жизнь — *ее жизнь* — даже и удалась. Она преподавала фортепиано в Гнесинском институте, ее любили ученики, она любила музыку, и музыки в жизни ее было много, и мальчик, Алеша, спасенный для жизни, был умным и чутким. Но муж ее пил, и мама ночами рыдала в подушку, а сын, подрастая, был слишком уж скрытным. Поэтому только в стенах Гнесинского института Анна отдыхала, забывала о пьянице-муже, забывала о маме, и даже Алеша как будто немного тускнел в голове. Их общая жизнь была однообразной, но нервной, и каждый из них, кроме сына Алеши, хватался за голову и говорил:

— Все! Я не могу!

Но эти слова были просто словами.

Полтора года назад муж просил отпустить его к женщине и именно так и сказал:

— Больше я не могу!

Скандал состоялся под самое утро. Она его высмеяла, победила. Потом, кстати, долго и горько жалела, что не отпустила тогда восвояси. Пускай бы и пил там сейчас на здоровье!

Но все это тоже слова, пузыри. Такие же, как на губах у младенца, когда прорезаются первые зубы и чешутся десны, а после проходит.

Алеше исполнилось пятнадцать лет, когда у отца случился первый инфаркт. Это было весной, он только что отыграл спектакль и, к удивлению Анны, никуда не пошел «праздновать», как любили говорить в театре, а вернулся домой, и она обратила внимание на серый и пористый цвет его щек. Ночью он разбудил ее и попросил принести воды. Потом вдруг сполз на пол. Они с мамой вызвали «Скорую», которая забрала его в больницу, и это было непростым делом, поскольку ночью в их доме отключали лифт, и санитары понесли его вниз на носилках. Она шла следом за носилками и молилась, чтобы он не умер. Молиться она не умела, поэтому и повторяла одну только фразу: «Не дай умереть ему, Господи Боже!» И ту же самую фразу она повторяла вслух, пока носилки укладывали в кабину, а когда санитары уже собирались захлопнуть дверцу, она, как девочка, гибко подтянувшись, полезла туда же, сквозь слезы шепча «Боже, Боже!», и старый большой санитар помог ей сесть рядом с носилками. В больнице его сразу увезли куда-то, а ее оставили ждать внизу, в вестибюле, и она стала с какой-то даже хитростью, словно в таких делах возможна хитрость, просить Бога, чтобы Он не отнимал у нее мужа, а у Алеши отца, и клялась Ему, что если муж ее выживет, то все у них сразу изменится: не будет она ревновать и следить, не будет трепать ему нервы, и сразу начнется здоровая, честная жизнь.

Через три недели он вернулся домой из больницы и попросил, чтобы она не спускала с него глаз, поскольку запой — это верная смерть. Не выдержит сердце, ему так сказали. В Гнесинском институте были каникулы. Она поехала на гастроли с ним вместе, и там, в чужих городах и дешевых гостиницах, они жили мирно, любовно и просто. Первый раз за девятнадцать лет брака она чувствовала себя почти счастливой, но при этом каждую ночь просыпалась от страха, что у него опять инфаркт, и сразу же начинала ощупывать руками его лицо. Лицо было теплым, живым.

Она засыпала.

Вернувшись с гастролей в конце августа, они оба увидели, как изменился Алеша. Он стал мрачноватым и не был им рад. В Немчиновке, где они оставили его отдыхать вместе с бабушкой, Сонькой и Амалией, случилось убийство цыгана, пропала какая-то девушка. Их мальчик вдруг стал почти взрослым. Глаза изменились: чужие, туманные. А раньше с ним было легко и спокойно: без сверстников он не скучал, читал свои книжки, купался на речке. Теперь, как сказал ее муж, Алеша стал «копией Гамлета»: угрюмый, насмешливый, нервный, веселый. И видно, что он целиком в своих мыслях.

— В каких? — испугалась она

— Ну, в каких... — промычал ее муж.

Алеша взрослел.

— Поедем в Москву. Тебе скучно, наверное, — сказала она.

— А Яншин? — спросил ее сын.

Тогда они взяли с собой и собаку, как будто бы Яншин его мог развлечь.

Когда утонул отец, Анне было девятнадцать, она заканчивала Гнесинское училище. Через несколько месяцев после смерти отца у мамы завертелся роман. Она возвращалась домой с ослепшим и красным лицом и сразу шла в душ. Потом она слушала, как Анна занимается, стучала рукой по роялю, но словно при этом слегка засыпала. А ночью совсем не спала, бродила как тень по квартире и, кажется, плакала. Догадаться, что мамины слезы не имели никакого отношения к смерти отца, было проще простого, хотя везде в доме висели его фотографии. И Анна боялась взглянуть на отца, когда ее мама с ослепшим и красным лицом возвращалась домой.

Отец догадался, он понял. Его фотографии стали тускнеть и сделались частью обоев. Какое-то время он словно бы ждал, что, может быть, мама еще и опомнится, но мама его уже не замечала. Тогда он смирился, ушел насовсем. Обычно умершие так поступают.

Заехав в Немчиновку после гастролей, Анна увидела, что не только Алеша, но и мама изменилась почти до неузнаваемости: она стала очень худой, раздражительной. И тоже была целиком в своих мыслях.

— Что, с Сашей расстались?

— Не знаю! — почти даже вскрикнула мама. — Не знаю!

Расспрашивать Анна не стала. О Саше они с мамой не говорили. Не только сейчас, а почти никогда. Двадцать лет назад, когда мама начала периодически исчезать из дому, а ночью бродить по квартире и плакать, Анна переживала это едва ли не меньше, чем даже отцовскую смерть. Потом постепенно привыкла. Но все это снова вернулось, когда ее собственный муж начал ей изменять. Она чувствовала отвращение не только к нему и той неизвестной женщине, которая отнимает его, но и к себе самой. Она была в роли жены, от которой «гуляют», а в роли ее настрадавшейся матери была неизвестная женщина. Ей вдруг начинало казаться, что грех ее матери — это проклятье, которое всех и разрушит: и Анну, и мужа, и сына.

Она понимала умом, что и Саша, и муж ее, и миллионы мужчин, которые, даже любя своих жен, заводят подруг и уходят к подругам (а то остаются, живут на два дома), — она понимала, что все эти люди нисколько не связаны между собой, но что-то сдвигалось в ее голове: она обвиняла ту общую силу, которая их уводила из дому, детей заставляла страдать с малолетства, а жен временами лишала рассудка, как это случилось, в конце концов, с Лизой.

Она и нуждалась по-прежнему в матери, но и презирала ее иногда, — настолько, что даже в глаза не смотрела, и мать это знала, терпела и плакала.

Итак, они взяли сына и Яншина, вернулись в Москву. Пес в городе начал хандрить, стал брезливым, лежал на подушке и тихо скулил. К нему приглашали врача прямо на дом. Врач был очень стройным красивым грузином.

— Ну, што, дарагой? — говорил он любовно. — Опять нездоровится? Што, дарагой?

И делал укол, и сквозь складки бульдожьи пытался услышать биение сердца.

В тот день, когда вдруг выпал первый снежок, и Яншин лизал его радостно, жадно, Алеша вернулся домой очень поздно. Сын был словно весь воспален изнутри. Она поняла: он вернулся от женщины. И ей почему-то тогда показалось, что женщина эта, возможно, с ребенком. А он еще мальчик, ему нет шестнадцати!

Она наблюдала, как сын снял ботинки и, щурясь, прошел мимо сразу на кухню.

— Алеша, садись. Я тебя накормлю.

— Не нужно, я ел.

— Где ты ел? Что ты ел?

— Не помню. А, помню! Я ел у Нефедова.

— И что ты там ел?

— Мама, это допрос?

— Ну, раз ты не хочешь со мной говорить... — сказала она.

Глаза его стали туманными.

— Мама! Я просто был в школе, потом у Нефедова. И делал уроки. О чем говорить?

— Ты врешь, — прошептала она точно так же, как вечно шептала обманщику мужу. — Алеша, ты врешь! У какого Нефедова? Какие ты делал уроки? Неправда.

— Ну, если ты знаешь, — сказал он спокойно. — О чем говорить?

Тут Анна опомнилась.

— Алеша! Мы были друзьями с тобой...

Он вдруг посмотрел точно так, как отец: с внимательной и осторожной печалью.

— Ты, мама, смешная. Друзья есть друзья. Мне кажется, это какая-то пошлость — считать, что родители — это друзья. Родители — это другое.

— Другое? — она растерялась.

— Другое.

Опять этот взгляд.

— Алеша, постой! Подожди! Где ты был?

— Но я ведь сказал тебе: был у Нефедова.

Она повернулась и вышла из кухни. Сын вырос. И он стал таким, как отец.

Во сне она каждый раз видела себя подростком, и все, что происходило, всегда происходило в том старом доме на Серпуховке, которого давно нет, его снесли. После странного и оставившего у нее неловкое чувство разговора с Алешей Анна долго не могла заснуть. Она знала, что он, закрывшийся в своей комнате, тоже не спит, и ей хотелось войти к нему, обнять, поцеловать, прижать к себе, заставить, в конце концов, расска-

зать ей, что с ним происходит, и если возникла какая-то девочка, девушка, женщина и трудно ему, так, как трудно бывает тому, кто ступает на очень горячий, совсем раскаленный под солнцем песок, — то кто же сейчас, кроме матери, кто же...

И Анна заснула. Дом на Серпуховке немедленно вырос на том самом месте, где он стоял прежде. Она, муж и мама сидели и ели. Их стол висел в воздухе. Земля внизу напоминала мякину, была очень черной, горячей и влажной. Вокруг небольшого здания слева шныряли и что-то кричали пожарные. Она догадалась неведомо как, что в здании скрылись бандиты и взяли в заложники тех, кто внутри.

— Володя, смотри! Это, кажется, техникум, — сказала она.

— Не техникум. Школа, — ответил ей муж. — И при ней детский сад.

И вдруг — в своем новом, отличном костюме — сорвался и бросился вниз.

Он очень неловко скользил, оступался и падал, как падал, когда бывал пьян. Весь сразу испачкался, комья земли налипли на волосы.

Потом подбежал к самой двери и скрылся.

Проснувшись, она еще долго лежала, как будто боялась, что это не сон. Казалось, что вся она — тоже в земле, и если откроет глаза, то увидит дом на Серпуховке, который снесли.

Глава семнадцатая
КАК АЛЕША ПОШЕЛ НА КАТОК

Нефедов курил и на этот счет имел свою, чисто нефедовскую философию.

— Мне плевать, — сказал Алеше грубый и неотесанный Нефедов, — что происходит вокруг меня. Я закурю, и меня заволочет дымом. За дымом ни я их не вижу, ни они меня.

Под словом «они» подразумевались «люди». Людей Нефедов не любил, но любил животных и женщин. Для женщин он был маловат, а животных им некуда было бы летом девать: родители его работали в Швейцарии, и летние каникулы Нефедов проводил в Цюрихе.

— Скучная жизнь, — объяснял Нефедов, — сидят там, дрожат, как бы их не поперли. Совсем омертвели. А здесь хорошо! Богатые, бедные. Пьют, убивают. Здесь будет что вспомнить. А знаешь, где лучше всего? На катке.

В субботу пошли на каток. С того ослепительно-белого снега, который и выпал во вторник, засыпал Крылова, а также и Сашу, а также Марину, когда она в черном платке на плечах догоняла Алешу, а также и женщин, сидящих на лавочке, а также и Зверева, пьяного фавна, который, приехав к Марине, остался, — с того ослепительно-белого снега прошло семь холодных и ветреных дней.

244

Зима наступила, открылись катки. Алеша не видел Марину со вторника и ей не звонил. Было стыдно и страшно.

Доехали до «Спортивной», вышли на улицу. Нефедов закурил. Коньки его стукнули по мостовой, как будто хрустальные рюмки с шампанским. В раздевалке было много народу, толкались, пахло мокрыми девичьими волосами, на которых не сразу таял снег, а медлил, блестел и искрился. Работал буфет, торговали пирожными. И лица у всех, приходящих с мороза, уже были красными, мокрыми, свежими.

Нефедов катался отлично: намного быстрее, ловчее Алеши. Поэтому он и сказал:

— Проедусь-ка я разомнусь. Не теряйся.

Согнулся и руки в огромных перчатках сцепил за спиною. Алеша остался. Перед выходом на лед заглянул в буфет, выпил безвкусного, но обжигающе-горячего кофе, скомкал бумажный стаканчик и по резиновому настилу той сдержанной походкой, которая объединяет и сплачивает всех людей, надевших коньки, дошагал до двери. Мысли о Марине не давали покоя, и не хотелось ничего, кроме как засунуть голову в сугроб, чтобы и голова, и раздирающие ее мысли замерзли природным естественным образом.

Две девушки, держась за руки, обогнали его перед самой дверью, и одна из них неловко толкнула Алешу бедром. Потом оглянулась, сказав «извините». Он невольно обратил внимание на ее ярко-голубые глаза. Такой абсолютной и насыщенной голубизны Алеша ни разу не встречал на человеческом лице. И он удивился, как всякий, увидев, к примеру, какого-нибудь мотылька среди снега. Ступивши на лед, все еще удивляясь, Алеша оттолкнулся и покатил по кругу. Голубизна чужих глаз погасла в сознании, вернулась Марина. Рада ли она тому, что он перестал звонить? И что она делает по вечерам, оставшись одна с умирающей теткой в огромной роскошной квартире? Наверное, плачет. У него самого перехватило горло, но не от жалости к ней, а от того оскорбления, которое она нанесла ему, когда отдирала от своего тела его руки. О, если бы он тогда не растерялся! Она бы не справилась с ним.

Из репродуктора вырвался голос Пугачевой:

Холодно в городе-е-е
Без тебя ста-а-а-ло!

Он увеличил скорость.

Холо-о-о-дно! Холо-о-о-дно-о-о!

Ему становилось тепло, даже весело. Где эта голубоглазка? Он съехал со льда и остановился. А, вот и она. Одна, без подружки. Глаза уже не голубые, а синие. Почти васильки в летнем поле Немчиновки, и есть в ней задорность, и легкость, и праздничность. Да, именно так, и задорность, и праздничность. Он пересек ей путь и остановился. И она остановилась.

— Вы так саданули меня, — засмеявшись, сказал он, совсем как отец. — Теперь не могу даже шагу ступить.

— Так я не заметила вас, вы же маленький, — сказала она, улыбаясь в ответ. — А я великанша.

Алеша был выше на две головы.

— Тебя как зовут? — спросил он, и вдруг в голове просверкнуло: «Сейчас скажет: «Катя!»

— Меня зовут Катя, — сказала она. — А вас? А тебя?

— А я Алексей.

Они помолчали.

— Ведь слаще-е-е ягода с мороза-а-а! —

низко и развратно пела Пугачева из репродуктора.

— Ты музыку любишь? — спросил он, смеясь.

— Нет, я ненавижу, — сказала она. — И книги, и музыку. Живопись вовсе терпеть не могу.

— Меня тоже просто тошнит от всего...

Они хохотали, как малые дети.

— А что же ты любишь? — спросил он. — Кого?

— Люблю свою маму и деда. А ты?

Он вдруг покраснел, и она покраснела.

— Ну, ладно, не надо, а то ты соврешь.

Они перестали смеяться, и был один быстрый и странный момент, секунда одна, когда им почему-то вдруг стало неловко и стыдно.

— Ты знаешь, — сказал он тогда. — Мы с тобой не знакомы, но мне бы хотелось

Она приоткрыла рот в ожидании того, что он сейчас произнесет, и этот по-детски приоткрытый рот, и это испуганное ожидание в ее глазах вдруг так разволновали его, что он начал заикаться.

— Я хотел бы, чтобы мы еще встретились с тобой, я имею в виду — встретились, например, завтра, и потом тоже. Вообще, чтобы мы с тобой встретились.

И он замолчал.

— Поедем, — сказала она. — А то мы стоим, всем мешаем.

— Поедем, — сказал он и взял ее за руку.

Она выдернула свою руку, сняла варежку и снова вдела свои пальцы в его. Их руки были мокрыми и горячими от растаявшего снега. О чем-то они говорили, конечно, но музыка эта гремела все громче, и все горячее был снег на их лицах, поскольку с далекого темного неба опять пошел снег, и загадочный, лунный, а может быть, звездный, свет сразу погас, и здесь, на земле, освещал их бездушный, но все-таки очень знакомый фонарь, вернее сказать, фонари, — ведь огромный и полный людей серебристый каток нельзя осветить лишь одним фонарем, хотя даже если бы стало темно...

Хотя даже если бы стало темно, как было темно во дворе ее дома, куда они оба вошли, так волнуясь, что Катя не сразу узнала подъезд, родной свой подьезд, где стояла коляска (увы, без младенца, его унесли), — хотя даже если бы стало темно, как всюду на свете, где холодно, холо-о-о-о-о-одно...

Нисколько не холодно. Жарко, как летом. Они стояли, прижавшись к раскаленной батарее, и целовались. Всякий раз, когда Алеша открывал глаза, он видел светлое сияющее пятно, от которого не хотелось ни на секунду отрываться. Этим пятном было ее лицо с закрытыми глазами, и, наверное, когда она открывала их, таким же светлым пятном было для нее лицо Алеши.

Глава восемнадцатая

ЭРОТИЧЕСКАЯ

В Японии, где что ни день восходит прозрачное солнце, и вишня цветет, и чай подают в таких тоненьких чашках, что страшно — они тоньше воздуха, — в Японии этой случалось синдзю.

Весьма романтичный и страшный обычай. Кончала с собою влюбленная пара. Да если бы только одна! Сотни тысяч. Вот только вчера ведь влюбились и — нате! Уже их, бедняжек, несут хоронить.

Можно, конечно, по-разному относиться к смерти. Можно даже прожить целую жизнь, не вспомнив о ней, а если и вспомнив, то в качестве шутки: мол, вот я помру и все сыну оставлю. А может быть, и не помру. Как же сын? Пусть сам заработает — техникум кончил.

Японские средневековые пары воспринимали смерть как освобожденье. Они умирали в надежде, что страсть их, любовь их и эта безумная нежность вернется к ним в светлой надмирной долине, где все есть — любовь и тем более нежность.

Поступки такого рода должны вызывать удивление нынешних людей, которые, желая доказать свою возвышенную натуру, в момент не всегда нужного, но всегда рискованного поступка, а именно: предложения руки и сердца, могут сгоряча встать на колени и поднять к выбранной ими невесте скучное и современное лицо свое с таким выраженьем, как будто вся жизнь их зависит от этой невесты.

Не стоит, однако же, преувеличивать. Ведь ты не покончишь с собой? Не покончишь. Зачем же глаза так таращить на женщину?

В Японии было иначе. Когда на пути их вставали преграды, влюбленные люди ночною порой (а темень там, в этой Японии, страсть!) спешили куда-то, где нет ни души, и там умирали в объятьях друг друга. Мужчина, сперва заколовши подругу, кровавым кинжалом пронзал и себя.

Вот, кстати, об этом в одной из трагедий:

> Он мгновенно,
> Возлюбленную усадив на землю,
> Вонзает наискось ей в грудь клинок!
> Но дрогнула его рука.
> Кохару
> Откинулась назад в предсмертных муках.
> Она еще жива,
> Хотя Дзихэй ей
> Дыхательное горло перерезал.
> О, кара кармы! О, возмездья мощь!
> Она не может сразу умереть.
> За что ей посланы мученья эти?[1]

Но дальше уж столько ненужных подробностей, что лучше мне их избежать. Избегу.

Хорошо бы, если бы вопрос о связи любви со смертью ограничивался только японским мужеством и многочисленными примерами из непростой японской жизни. Так нет же, он не ограничился этим! Пытлив человеческий ум, ненасытен. Вот что ему, скажем, амеба? Живет и живет — ни хлеба не просит, ни каши, ни семечек. Однако же, выяснив то, что амеба телесной структуры отнюдь не имеет и не является индивидуальностью в общепринятом смысле

---

[1] *Тикамацу Мондзаэмон*. Самоубийство влюбленных на острове Небесных сетей. Перевод В.Н.Марковой.

слова, внимательные ученые сделали еще один вывод: амеба эта (не являющаяся, к сожалению индивидуальностью!) не размножается принятым у остальных существ половым путем и ТОЛЬКО благодаря этому не умирает от естественных причин. То есть можно даже и сказать, что, в общем и целом, амеба бессмертна. Взяла — поделилась на две новых клетки, а как подросли эти пухлые клетки, опять они — ррраз! — поделились, и все. А что им! Делись и делись потихоньку! И все без любви, без малейшего чувства. Им даже не скажешь: «пока не помрете», поскольку они НИКОГДА не помрут.

Был, кстати, один иностранный ученый, который позволил себе усомниться в амебином этом наглядном бессмертии. И что же? Потратил всю жизнь — вы подумайте: всю! — следя за амебой. Не ел и не спал. Ходил сорок лет в тех же самых ботинках. Смотрел на нее воспаленно, дрожа, как Ленский — на Ольгу. Она же спокойно делилась, делилась... И так поделилась три тысячи раз. Пока этот страстный ученый не умер. Обидно, конечно. Сама же амеба, с которой он, бедный, провел свою жизнь, кончины его не заметила даже.

Не стала бы я утверждать никогда, что есть и среди психиатров умные. Ну, может быть, два или три человека. И я объясню почему, объясню. Читайте спокойно и не горячитесь. Они ведь уверены в том, что всех нас — людей, представителей разных профессий — давно раскусили и проштамповали. А нас не раскусишь и не проштампуешь. Ведь мы — неожиданность, тайна, сюрприз. Один вот (не буду его называть), прочтет — покраснеет, он так написал: «Смерть связана с утратой сексуального чувства «либидо». Пока в процессе жизни продолжает вырабатываться избыточная энергия, обеспечивающая побуждение к сексуальной функции, естественная смерть не происходит. Можно сказать, что сексуальность — это переживание, способствующее жизни индивидуальности».

Ну, как возразить подлецу и безумцу? Теперь, значит, что же? Им, милым и кротким, которые вяжут чулки у окошка, растят себе внуков и варят варенье, — им что, отправляться пора восвояси? А может, собрать всех да сбросить с утеса? Небось не амебы, на берег не выплывут!

На самом же деле все было вот так:

И заповедовал Господь Бог человеку, говоря: от всякого дерева в саду ты будешь есть. А от дерева познания добра и зла, не ешь от него, ибо в день, в который ты вкусишь от него, смертию умрешь. И сказал Господь Бог: не хорошо быть человеку одному, сотворим ему помощника, соответственного ему. Господь Бог образовал из земли всех животных полевых и всех птиц небесных, и привел к человеку, чтобы видеть, как он

назовет их, и чтобы, как наречет человек вся-
кую душу живую, так и было имя ей. И нарек че-
ловек имена всем скотам и птицам небесным и
всем зверям полевым, но для человека не нашлось
помощника, подобного ему. И навел Господь Бог
на человека крепкий сон, и, когда он уснул, взял
одно из ребер его, и закрыл то место плотию.
И создал Господь Бог из ребра, взятого у челове-
ка, жену, и привел ее к человеку. И сказал чело-
век: вот, это кость от костей моих и плоть от
плоти моей, она будет называться женою, ибо
взята от мужа. Поэтому оставит человек от-
ца своего и мать свою, и прилепится к жене сво-
ей, и будут одна плоть. И были оба наги, Адам и
жена его, и не стыдились.

И дальше написано просто и ясно:

Змей был хитрее всех зверей полевых, кото-
рых создал Господь Бог. И сказал змей жене: под-
линно ли сказал Бог: не ешьте ни от какого дере-
ва в раю?

И сказала жена змею: плоды с дерев мы мо-
жем есть. Только плодов дерева, которое среди
рая, сказал Бог, не ешьте их и не прикасайтесь к
ним, чтобы вам не умереть.

И сказал змей жене: нет, не умрете. Но зна-
ет Бог, что в день, когда вы вкусите их, откро-
ются глаза ваши, и вы будете, как боги, знающие
добро и зло.

Вот здесь не дыши, дорогой мой читатель. Лукавит змей — да. Но не лжет. Жена ведь боится, что в ту же секунду, как только отведает плод вместе с мужем, так смерть и наступит. Ударит в них и поразит, будто молния. Но Бог говорил ведь совсем о другом. Он предупреждал, что отнимет *бессмертие*.

Адаму же сказал: за то, что ты послушал голоса жены твоей и ел от дерева, о котором Я заповедовал тебе, сказав: «не ешь от него», проклята земля за тебя: со скорбию будешь питаться от нее во все дни жизни твоей. Терние и волчцы прорастит она тебе, и будешь питаться полевою травою. В поте лица твоего будешь есть хлеб, доколе не возвратишься в землю, из которой ты взят, ибо прах ты, и в прах возвратишься.

Вот это и есть наказание — смерть. А жить можно долго, хоть до изнуренья! Болеть, выздоравливать и размножаться, и делать покупки, и рыбу удить, но только нельзя забывать, что, наевшись, размножившись и излечив все болезни, ты должен вернуться обратно в ту землю, откуда был взят.

Итак, человек (скажем проще, Адам!), отведав запретного плода, был изгнан, стал смертен (хотя прожил долго, и это указано: сто тридцать лет!), но Еву *познал*, и *она зачала*.

И начался грешный наш род человеческий.

Откуда при этом тревожном начале возьмется вдруг счастье на свете? Берется. И длится, и длится, и длится, и длится. Загадочно, и вопреки, и бесстрашно.

Смотрите, как это случилось с Алешей. На каждое свидание Катя приносила ему яблоко. Он ел его и улыбался глазами, совсем как отец. Зима была в самом разгаре, снег сыпал и сыпал. И было морозно, но холодно не было. Морозно, свежо, хорошо, вот и все. После уроков он даже не заходил домой, хотя учился в Хлыновском тупике и до дому была ровно одна минута ходьбы, но дома могли задержать разговором, обедом, скандалом — да мало ли чем, — а сразу же ехал к ней на Якиманку и ждал ее там во дворе. Она выходила, вернее сказать, выбегала, и цвет ее глаз поражал все сильнее. Алеша не мог к ним привыкнуть. Нельзя было поцеловать ее сразу — морозный сияющий воздух был полон чужими зрачками, как сад мошкарой. Он брал ее сумку. Они уходили. И рай уносили с собой. И все занесенные снегом — то в блеске веселого солнца, а то в синеве уютных и ранних, стыдящихся сумерек — знакомые каждому скверы, дворы тогда становились их садом Эдемским, и птицы московские криком своим, и гвалтом голодным, и быстрым полетом, сверкая на фоне сплошной белизны, их не беспокоили, точно как те, счастливые, сытые птицы в Эдеме отнюдь не тревожили Еву с Адамом.

Им было не просто хорошо вместе, им было *так* хорошо, что все время хотелось выплеснуть наружу избыток своего счастья, и потому они вели себя подобно детям или молодым животным, выпущенным на волю из душных житейских загонов и клеток. Они, например, смахивали снег с детских качелей, и эти качели со скрипом и скрежетом взмывали наверх и опять опускались, постанывая и кряхтя в удивленьи, они залезали по пояс в сугробы, пытаясь достать голубую сосульку, причудливо свесившуюся с карниза, они разбегались, заметив дорожку из синего плотного льда на асфальте, и, крепко обнявшись, катились по ней. Бывало, что падали. И хохотали. И были подъезды с их мокрым теплом и стенами цвета болотной лягушки, где рай становился немыслимо ярок, терял ледяную свою белизну и переливался, как переливались какие-нибудь водопады в Эдеме, играя то бликами, то золотыми и синими вспышками мощного света.

Они целовали друг друга.

И так проходили часы, протекали холодные, сонные зимние месяцы, и все остальные уставшие люди в уставшей от снега и мрака Москве не знали и знать не могли, что в столице, где вечно случались события, драки, и свадьбы, и выборы в Думу, спектакли, разводы, обманы, рожденья, где грубо гудели машины, мяукали кошки, курлыкали голуби, спали в колясках невинные дети, а в винных ларьках вовсю торговали какою-то дрянью, и нежно-капризных цветов навезли такое количество, что даже ночью любой мог купить себе алые розы, — никто, повторяю, не подозревал о существовании этого рая.

Глава девятнадцатая

ПРОВОДЫ

Теперь Алеша не просто засыпал, он проваливался в блаженное воспоминание о прожитом дне, которое постепенно истончалось, как истончается печной дым или розоватое облако, и в конце концов, несмотря на усилия не расставаться с этим воспоминанием, его размывало под веками.

Посреди ночи ему показалось, что кто-то лезет в форточку, но это не испугало, а скорее насмешило, потому что ночь была морозная, они спали с закрытыми форточками — кому же могла прийти в голову эта дурацкая мысль? Потом над ним вспыхнуло слово «нет-нет» и тоже его рассмешило — «нет-нет» бормотала и Катя, когда он, уже задыхаясь, ослепнув, пытался погладить ей грудь через платье.

— Алеша! Алеша-а-а! Да где же ты, Господи!

Мать кричала из большой комнаты, но голос ее как-то странно дробился, как будто он был из стекла.

— Алеша-а-а! Скорей! Папе плохо!

Он вскочил и побежал. Отец сидел в кресле в одних трусах, на плечо было накинуто одеяло, которое сползало, и мать поправляла его. Форточка была открыта настежь, в комнату врывался морозный воздух с желтоватой примесью уличного фонаря. Лицо у отца было белым, большим и дрожащим, с черными набухшими подглазьями, похожими на комья свежей земли. Он увидел Алешу и сделал какое-то слабое и робкое, как показалось Алеше, движение пальцами левой руки, как будто его отсылая обратно.

— Не двигайся, слышишь! — тем же стеклянным, не своим голосом прокричала мать. — Тебе нельзя двигаться, слышишь, Володя! Они уже едут!

Алеша не понял, кто это «они»?

— «Скорая», «Скорая» едет! — прошептала за его спиной бабушка. — Минут уже двадцать, как вызвали!

Отец начал задыхаться и с хрипом ловить воздух широко раскрытым ртом. Лицо превратилось из белого в голубоватое, и вдруг проступили на этом лице какие-то темные пятна.

— Дыши! — умоляла жена. — Ну, дыши! Возьми валидол! Почему ты не хочешь? Тебе же всегда помогает, всегда!

— Попить... — низко выдавил он. — Во-о-оды...

Бабушка легко, как балерина, выпорхнула на кухню и тут же вернулась с водой Мать начала поить его, но он всё ловил ускользающий воздух, хрипел и метался. Вода проливалась.

Минут через пять в дверь резко позвонили, и вошла бригада в пальто поверх белых халатов и в шапках. Доктор, не снимая верхней одежды, решительно подошел к отцу, пощупал пульс, заглянул в зрачки и тут же кивнул санитарам: «Носилки!»

— У нас не работает лифт по ночам, — сказала испуганно мать, — что же делать?

— Мы поняли, что он у вас не работает, — раздраженно ответил он. — Придется нести, делать нечего.

— Аркадий Андреич, — заметил один санитар, — зачем перекладывать-то? Давайте на стуле его понесем.

— Тяжелый, уроним, — сказал ему доктор.

— Шофера сейчас позовем, вчетвером...

— А, ладно, давайте! Оденьте его! — И он обернулся к Алешиной матери и тут вдруг заметил Алешу. — Вот ты и поможешь отца донести. Не надо шофера, вот парень поможет.

Мать принесла одежду и принялась напяливать ее на отца, но руки ее дрожали, и она не могла застегнуть ни одной пуговицы. Бабушка бросилась помогать. Отцовское лицо было уже не голубоватым, а лиловым, — да, ярко-лиловым, — глаза закатились.

— Ну, хватит! Копаться-то некогда! — прикрикнул рассерженный доктор.

— Да как же? Простудится! — всхлипнула мать.

— Уже не простудится.

Мать ахнула и прислонилась к стене. Вчетвером они подхватили тяжелое кресло вместе с полуодетым отцом, у которого забулькало внутри, оторвали его от пола и, напрягшись, понесли к двери. Алеша и тот санитар, который предложил обойтись без носилок, держали кресло сзади, доктор и второй санитар — спереди. Алеша видел перед собою согнутые и напряженные спины доктора и санитара и голову отца, которая болталась из стороны в стороны, как будто отец уже не мог удерживать ее в одном положении. Хрипы и бульканье становились все сильнее, а тот отдельный от них звук, с которым отец еще заглатывал воздух, стал редким и странно-певучим, как будто отец собирал свои силы, стараясь запеть что-то вроде молитвы, но хрипы мешали ему, и он ждал, когда эти хрипы утихнут.

За спиной Алеша слышал шаги матери и бабушки, и мама едва слышно стонала: «Володя-я-я-я». Несли отца долго — Алеше показалось, что прошло несколько часов, пока шофер, оставшийся на улице, отворил им подъездную дверь, отца осторожно переложили на носилки и втолкнули в машину. Доктор и санитар вспрыгнули за носилками, а второй санитар сел рядом с шофером. Мать ухватилась за дверцу и не давала доктору захлопнуть ее.

— Пустите меня! Пустите, я с вами! Куда вы везете его? — стеклянным своим, новым голосом вскрикивала мать, поднимаясь на цыпочки, чтобы разглядеть то, что происходит с отцом. — Я с вами поеду!

Доктор, наклонившись над носилками, заслонял отцовское лицо и большую часть его тела и не оборачивался.

— Езжайте сейчас в Склифосовского, — быстро и неохотно сказал санитар. — Спокойно оденьтесь, вам все там и скажут.

Мать обреченным и каким-то театральным даже движением уронила руки и зашаталась. Бабушка обняла ее. Машина отъехала.

— Он умер, — сказала вдруг мать очень тихо. — Он умер сейчас.

Она отстранила бабушку, вошла в подъезд и принялась медленно подниматься по лестнице.

Отца похоронили на Троекуровском кладбище, хотя как только известие о его смерти дошло до главного режиссера, он позвонил матери и сказал, что готов похлопотать о Новодевичьем. Мать лежала на кровати, одетая, не плакала и не разговаривала ни с бабушкой, ни с Алешей. К телефону подходила бабушка.

— Аня, — шепотом сказала бабушка, — можно вроде и на Новодевичьем. Ты как? Ты хотела бы?

Мать резко поднялась и вырвала у нее трубку.

— Не надо, — сказала она. — Не стоит хлопот. А ему все равно.

И снова легла.

Звонки не прекращались, потом друзья и знакомые начали приходить домой, всхлипывать, сморкаться, приносили цветы, которые некуда было ставить. А мать все лежала, не обращая ни на кого внимания, не разговаривая и не плача. Алеша заметил, как многие женщины присаживались на краешек кровати и гладили под одеялом ее ноги, как будто это было самым лучшим способом выразить свое сочувствие. Потом вставали и целовали ее в лоб, как будто она уже тоже была не живым человеком.

Он не помнил, как прошла первая половина ночи. Бабушка легла с матерью, и они закрылись в большой комнате. Было часов одиннадцать. Ему полагалось страдать, а он ничего не испытывал — одну пустоту. Как будто был весь забинтован, включая глаза, рот и нос. Одна странная мысль доставляла ему беспокойство и не давала уснуть, хотя он так сильно устал. Он пытался понять: где сейчас отец и что с ним? Слово «смерть» ничего не объясняло ему. Смерть означала только то, что отец не вернется в этот дом — ни трезвым, ни пьяным, ни веселым, ни мрачным, они не услышат его голоса и звука его тяжелых шагов, он не закашляет посреди ночи и не попросит, чтобы мама сварила ему кофе. Но отсутствие всего этого и даже многого другого, связанного с отцом и его жизнью, означало только то, что отца нет *здесь, в этой* жизни, и это Алеша готов был понять, но то, что отца нет *нигде,* он не понимал.

— Какой он *теперь?* — спрашивал себя Алеша, лежа в темноте под одеялом и чувствуя, что его начинает колотить. — Сейчас вот он *где?*

Под утро он все же заснул.

...Оказывается, не было никакой зимы, а был самый разгар лета, и они с отцом отдыхали где-то на юге. Их дом стоял прямо над морем, но между водой и открытой террасой густо росли тростники, и из слабо поющих зарослей их то и дело вырывались большие, с синими головами, птицы. Алеша стоял на террасе и всматривался в то пространство, которое открывалось над водой и этими слабо поющими тростниками, пытаясь понять, где же оно заканчивается и заканчивается ли где-нибудь. Он услышал шаги отца, обернулся и увидел, что отец выходит к нему на террасу из полутьмы коридора, по обе стороны которого располагались комнаты. Отец был босым, в трусах, располневшим и заспанным. Левая щека у него была примята — видимо, он от-

*лежал ее во сне. Алеша почувствовал знакомый запах отцовского одеколона и услышал его охрипший со сна голос. Отец спросил его о какой-то ерунде. Он начал отвечать, но тут же вспомнил, что отец ведь только что умер, стало быть, он вышел к нему не из коридора, не из спальни, а из какой-то **другой** полутьмы и нужно успеть спросить его о самом главном, а не тратить времени на пустые разговоры. Он изо всей силы втянул в себя запах отцовского лица, словно этим мог задержать его, и спросил:*

*— Как тебе **там**?*

— Мне? — не удивившись, переспросил отец. — Мне хорошо.

*Он повернулся и тихо пошел обратно в тот же полутемный коридор, обеими руками поправляя растрепанные волосы. И снова Алеше показалось, что не было никакой смерти, и отец просто идет снова спать, но тут же он вспомнил, что нет, нет, не спать — уходит туда, где он **есть**, возвращается, и это не страшно ему и не жалко ни сына, ни дома, ни волн вдалеке.*

В десять часов утра началась панихида в театре. Гроб установили на положенном ему возвышении, собравшиеся густо, как пчелы, окружили его своими монотонными голосами, и товарищи отца по работе тихо, с этими печально-почтительными лицами, на каждом из которых сквозь печаль проступало невольное удовлетворение, что это хоронят не их, а другого, сменяли друг друга в почетном карауле. Потом начались речи, и монотонное гудение притихло. Мать стояла вплотную к отцовскому гробу и гладила его по лицу. Странным было то, что она по-прежнему не плакала и гладила его по лицу с какой-то даже настойчивостью, словно от ее прикосновений что-то зависело. Бабушка была тут же, слева, и Саша держал ее под руку. Бабушка плакала и вытирала глаза перчаткой, но, бегло взглянув на нее, Алеша увидел, что смерть отца уже не приносит ей той боли, которую она чувствовала до тех пор, пока рядом не появился Саша и не взял ее под руку. Несмотря на то, что он понимал, что от него ждут, чтобы он тоже занял свое место рядом с матерью и бабушкой, он не мог заставить себя сделать этого. Катя, которой он не позвонил ни разу за эти три дня, пока готовились похороны, каким-то образом узнала о случившемся и теперь стояла рядом с ним, не притрагиваясь к нему, и он чувствовал ее глаза, как чувствуют иногда тепло чужого дыхания.

— Алеша, пойди, погляди на него, — сказал ему кто-то. — Какой был актер! От Бога актер был, Алешка!

Алеша удивился, потому что это хоронили его отца, а то, кем он был — актером или плотником, — не имело никакого значения. Он поднялся по ступенькам на возвышение, посмотрел на того, кого все называли сейчас просто по имени и к кому обращались на «ты», как будто бы смерть разрешила им это. У спокойно лежащего в узком гробу человека не было ни малейшего сходства с отцом, потому что выражение его застывшего лица было таким, каким оно никогда не было у отца, — величавым и сосредоточенным. На этом лице не было ни морщин, ни складок, ни отеков, не было этих ужасных, похожих на комья земли, подглазий, но была какая-то странная обновленность, словно бы смерть стремилась приравнять освободившуюся от болезней и слабостей человеческую плоть к всему остальному в природе: деревьям зимою, растеньям под снегом и даже цветам, пусть сорванным, но еще свежим.

Алеша простоял рядом с матерью не больше одной минуты, и вдруг голова у него закружилась так сильно, что он почти сбежал обратно вниз и, не глядя ни на кого, вышел в фойе. Катя догнала его у самой двери, схватила за руку, потом крепко обняла и почти повисла на нем, целуя и громко всхлипывая. В фойе были только две старые смотрительницы, которые, скучая от того, что им приходится находиться здесь, а не присутствовать при таком ярком событии, как панихида по усопшему, хорошо знакомому им человеку, с готовностью переглянулись.

— Алешенька, — бормотала между тем Катя, приподнимаясь на цыпочки, чтобы еще крепче обнять его. — Ты лучше не сдерживайся! Что ты — как каменный, Алешенька, милый!

Все его лицо было мокрым от ее слез, и тут одна из смотрительниц со старыми, вишневыми от лопнувших сосудов щеками не выдержала, сорвалась со своего обтянутого чехлом стула и, подскочив к ним, погрозила Кате узловатым пальцем.

— Бесстыжая, ишь ты! — зашипела смотрительница. — Повесилась, ишь ты, на парне, поганка! Нашла себе время, шпана, вертихвостка! Вот выведу щас, так узнаешь, бесстыдница!

Но Катя, с глазами под цвет незабудок, вдруг вся побелела.

— Что-о? — рявкнула Катя, и ноздри раздула. — Да я тебя, сволочь, саму... Пошла вон!

Старуха осела, как старая птица, которую ветром прибило к земле, и тут появилась Марина. Она была запыхавшаяся и румяная от этого. Волосы гладко причесаны. Алеша узнал красные кожаные перчатки, которыми она прижимала к себе большой, завернутый в целлофан букет.

Она растерялась: Алеша стоял посреди фойе под большим портретом народного артиста Ливанова с одной стороны и народной артистки Книппер-Чеховой с другой, на нем висела заплаканная, разгневанная молоденькая девица, которая последними словами отчитывала смотрительницу, беспомощно разевающую рот и не успевающую вставить ни слова.

— Тебя посадили здесь? Вот и сиди! — шипя, как змея, говорила девица. — Ты что за судья, недомерок несчастный! Тебя кто поставил за нами следить?

— Да я щас милицую! Щас позвоню! Я все по инструкции... Ишь ты, какая! — бормотала смотрительница, сдавая свои позиции.

Алеша не сделал ни шагу навстречу: у него было отсутствующее лицо со стершимися, словно на старой фреске, чертами.

— Я утром узнала, — сказала Марина. — Поэтому так опоздала...

— Неважно, — ответил Алеша.

Незнакомая молоденькая девица перестала ругаться со смотрительницей, которая, жуя губами от неловкости, вернулась на свой стул.

— Вы на панихиду? — спросила девица.

— Да, я... Да, на панихиду... — сказала Марина.

— Идите быстрее, сейчас все закончат! — И снова приникла к Алеше всем телом.

Не успел траурный автобус доехать до Троекуровского кладбища, как сразу пошел мокрый снег. Крупный, сильный, как это бывает весной напоследок. Слегка перламутровая от мартовского серого света и засыпавшего ее снега аллея была совершенно пустой. Лежала, ждала, что по ней повезут каталку с отцом, и за ней, за каталкой, потянутся все эти люди. Алеша заметил, что на кладбище Марины не было, и удивился своему равнодушию. Она стала еще красивее, чем была два месяца назад, когда выскочила за ним на улицу в наброшенном на плечи черном платке, но тогда это была *она,* то есть Марина, к которой его тянуло как магнитом, а сейчас, в театре, оказалась другая, едва знакомая женщина в тех же красных кожаных перчатках, которые были на Марине в самый первый вечер, когда они вышли из травмпункта и она принялась ловить такси, чтобы доставить его домой.

Сейчас, после смерти отца, все стало другим. Как будто эпоха закончилась.

Глава двадцатая
РАЙСКОЕ ЯБЛОКО

В первые дни после похорон в их доме стояло оцепенение. Мама и бабушка разговаривали мало, и обе почти не обращали внимания на Алешу. Мама была раздавлена не только тем, что потеряла мужа, она была физически, как попавшее под колеса грузовика животное, раздавлена прямо там, на кладбище, еще до того, как засыпали могилу, потому что Настасья, одна из народных актрис, совсем уже старая, в траурной шляпе, сказавшая только что пьяную речь и перекрестившая гроб, подошла, притиснула Анну руками к себе и тут же, кивнув подбородком на женщину, стоящую чуть в стороне ото всех, сказала ей на ухо шепотом:

— Ах ты! Подумай! Пришла. Ну, и наглая баба!

И Анна, взглянув, сразу все поняла. Она поняла, что тогда, когда он просил отпустить его, речь шла о ней, стоящей поодаль, уткнувшей лицо в мерцанье снежинок на воротнике и черный платок опустившей на брови. Ох, как он тогда унижался! А зря. Она не пустила его, припугнула, и он никуда не ушел, — это правда, — но пил после этого так беспробудно, что ангелы плакали на небесах.

И теперь, когда мерзлые комья стучали по крыше его последнего дома, такого угрюмого, чистого, страшного, что лучше бы он поскорее распался и стал тоже частью чего-то другого, — теперь они обе стояли и ждали, чтобы это тело его, эти губы, которыми он целовал их, и руки, которыми он обнимал, ушли вниз и стали такою же мерзлой землею.

Анна не оглядывалась больше на эту женщину, но ни на секунду не забывала о ней. Оглянулась она напоследок, когда ее саму, как это полагается, обхватили руками и, поддерживая, хотя она нисколько не нуждалась в этом, повели обратно к машине. Только тогда она оглянулась. Но женщины в черном пальто уже не было.

Вот тут наступил ее ад! Одному Богу известно, как она выдержала три часа поминок! Не такая у них была огромная квартира, чтобы вместить всю эту замерзшую толпу, но пришли почти все, навалили мокрые пальто, шубы и куртки прямо на полу в коридоре, и начали есть с дикой жадностью — есть руками с тарелок, как будто они ни разу не ели до этого в жизни. А пили с еще даже большею жадностью, и все почему-то лобзали друг друга, как будто хотели поздравить, что живы.

Она сидела на подоконнике и прижимала к себе сына, застывшего рядом с ней, как истукан. И к ним подходили, и их обнимали. А в самом конце, пьяная настолько, что ее раздутые ноги в замшевых сапогах с наполовину застегнутой молнией уже не держали ее, подошла, с размазанной тушью, Настасья, без шляпы, с большим черным бантом, и громко сказала:

— Прости меня, пьяную сволочь, Анюта! Алеша, дай матери слово сказать!

Алешу всего передернуло. Настасья прижалась к ней дряблою грудью, дыша на нее коньяком, зашептала:

— Да я обозналась, Анюта! Клянусь. Тебя он любил, а что дамочки были, так их у кого, этих дамочек, не было? Вот я хоть любого тебе позову, и спросишь сама. Да ведь все блядовали! А он тебя очень, Анюта, любил! «Царица души, — говорил, — моя Анька!»

— Ну, ладно, Настасья, чего уж теперь! — сказала она. — Какие у нас теперь счеты, Настасья!

И ведь солгала. Счеты и начались, когда все ушли и поминки закончились.

Она лежала с открытыми глазами, и рядом белела пустая подушка. Она говорила ему, и он слушал.

— Вот и доигрался, — шептала она. — Актеришка жалкий, вот и доигрался! А я ведь любила тебя, я тебе до косточки все отдала, до кровинки! А ты хоть подумал *там,* мне каково? А я отомщу тебе, хочешь? Не хочешь? Возьму, замуж выйду. Не веришь? А что? Тебе, значит, можно, а мне что, нельзя?

Но тут же рыдания так подымали ее над подушкой, над этой кроватью, над этою комнатой, над всей ее жизнью, в которой его больше не было, что она зажимала ладонями рот, давилась рыданьями, но продолжала:

— Любимый! Да я же шучу! Золотой! Не слушай меня, мой родной, мой хороший! Да мне наплевать, кто там был, кто там не был! Да хоть бы гарем их там был — наплевать! Зачем от меня-то ушел? Ну, зачем?

У бабушки сердце разрывалось за дочку, но была и еще одна причина, которая всю её перевернула.

На следующий день после смерти в квартире раздался звонок:

— Я, Зоя, узнал, что Володя скончался... Но я с тобой, Зоя, и с Аней, конечно...

И это тогда, когда все пахло смертью, и даже цветы во всех вазах и банках никак не могли заглушить этот запах, и было понятно, что если вот срезать с упругих стеблей и доставить в ним в дом все оранжереи подлунного мира, а также поляны, сады и газоны, то он, запах смерти, сквозь все просочится, как запах слегка кисловатого газа из липкой и черной горелки на кухне всегда просочится сквозь все и отравит.

Алеше было невмоготу рядом с мамой и бабушкой, потому что они мешали ему *чувствовать* отца. Он не говорил им, что чувствует отца постоянно, и, главное, не проходит ни дня без странных провалов внутри его памяти: он вдруг забывает о том, что случилось. Это наступало внезапно и занимало не больше минуты, но на протяжении этой минуты он думал, что скоро увидит отца таким, как обычно: да хоть во дворе рядом с липой, хоть в кухне. Когда проходила минута и он опять вспоминал, что отца больше нет, во всем его теле стоял странный гул, как будто бы он пролежал между рельсами и поезд промчался над ним с диким грохотом.

Бабушка решила не сообщать Соньке и Амалии о смерти зятя, потому что не хотела, чтобы взбалмошные эти, хотя и родственные женщины набросились на них со своими утешениями, нарушили ход похорон и поминок, где все знаменитости перепились, зато помянули как следует — с сердцем.

Она им сказала на следующий день. Сонька с Амалией немедленно приехали и взяли на себя хозяйство, хотя их никто не просил даже мысленно. Семья же в составе трех человек — Алеши и бабушки с мамой — теперь ела полный обед, сытный завтрак, а к ужину были то клецки, то гренки.

В пятницу Алеша вернулся из школы с сильной головной болью и хотел сразу же пройти к себе в комнату и лечь, но Сонька с Амалией были в столовой и ждали его.

— Алеша, — с загадочной важностью молвила Сонька. — Сегодня ведь холодно, ты не находишь?

— Находишь, — бесстрастно ответил Алеша.

— Тогда погляди на него. Не спугни!

Алеша посмотрел по направлению ее взгляда и увидел спокойно сидящего на оконном стекле со внутренней стороны комнаты огромного майского жука. Он хотел было пожать плечами и отвернуться, как Сонька его обняла и заплакала.

— Алешенька, папа!

— Что папа?

Он вздрогнул.

— Алешенька, март на дворе, снег идет. А он прилетел. Это он!

— Красивый какой! — прошептала Амалия. — Он, Сонечка, помнишь, в Коньке-Горбунке царя как сыграл? Камзол у него был такой... темно-красный, рукавчики белые, с золотом... Помнишь?

Туловище этого огромного майского жука было бордовым, его покрывал белый пух, а на голове волоски разделялись в продольные зеленоватые полосы. Глаза его были темны, озабочены, и красные усики плавно качались, как веер нарядной, но хрупкой японки.

— Я вас уверяю, — резко, но испуганно сказала вошедшая в комнату бабушка, — что он просто в этих цветах и приехал! И, может быть, спал, а теперь он проснулся... С ума вы сошли ото всей этой мистики!

— Какая же мистика, Зоенька, солнышко! — вся вспыхнула Сонька. — Какая же мистика? Ведь день-то сегодня какой? Ведь девятый! Пришел попрощаться. Вот так и бывает.

Душа-то его еще здесь, ей ведь больно — Алешу оставил... Наверное, хочет прощенья просить. Алешенька, не уходи! Ты постой. Пусть он на тебя поглядит, ему в радость...

Алеша схватился за голову и шагнул к двери. Но тут майский жук медленно раскрыл свои маленькие и неловкие крылья, сделал стариковски-неуклюжее движенье, как будто хотел обернуться к Алеше, и вдруг полетел. Летел он старательно, неторопливо, со звуком, таким же шершавым, мохнатым, как все его тело. Алеша, Амалия, Сонька и бабушка стояли не двигаясь. Жук опустился на краешек вазы и тихо пополз. Казалось, что он утомился в полете.

— Его покормить бы, — вздохнула Амалия. — А чем покормить?

— Свари ему супчик, — откликнулась бабушка, — борщ, например. Пускай уж тогда пообедает с нами.

— Я, Зоенька, вижу, что так тебе легче, — сказала Амалия. — Когда человек негативно настроен, ему легче жить. Я и не осуждаю.

Жук перелетел на окно и начал тихо скрести щупальцами стекло. Стекло было крепким и не поддавалось. Он перелетел на другое и начал скрестись, словно даже с тревогой.

— Его нужно выпустить, — вдруг прошептала испуганно бабушка. — Хочет на волю.

— Да он там погибнет! — воскликнула Сонька. — Куда его выпустить? Там такой холод!

Жук уже не просто скребся, он отчаянно стучал в стекло большой черной головой, как будто пытаясь пробить себе дырку. Жужжанье его стало жалобным, диким.

— Иди на цветочек, иди вот на ветку, — твердила ему милосердная Сонька. — Поешь хоть немного, а то ведь погибнешь...

Бабушка открыла форточку. Сонька и Амалия ахнули.

— Лети, если хочешь, — сказала жуку беспощадная бабушка.

Жужжание смолкло. Никто не дышал.

И он улетел! Он больше не бился, не скребся, не плакал. И даже окраска его изменилась: она стала ярче, как будто впитала в себя эти взгляды, которыми люди его провожали, пока он был виден в уже по-весеннему голубоватом и ветреном воздухе. Пока эти люди смотрели, как он, подобный сгустившейся капельке крови, летит, словно знает, к кому и зачем.

Голова разламывалась, есть Алеша не стал. К бабушке пришел ученик, и из маленькой комнаты поползли пронзительные, выматывающие душу, невыносимые, особенно сейчас, звуки скрипки.

— Пойду прогуляюсь, — сказал он Амалии с Сонькой.

Странное раздражение охватило его. Возможно, оно тоже было тоской, но только она проявлялась иначе: не той безысходностью, болью и страхом, которые и начались тогда ночью, когда отец умер, а злым, одержимым, настойчивым чувством, нисколько не целесообразным и диким, хотя, к сожалению, частым, поскольку природа людская столь несовершенна. Ему захотелось обидеть кого-то, и вызвать к себе самому даже ненависть, и возненавидеть в ответ, и ударить как можно больнее, неважно за что.

Ведь только теперь, после смерти отца, он вдруг все и понял. Ему-то казалось, что он был несчастлив, но он ошибался: несчастлив был папа, а он, идиот, за всю жизнь не решился к нему подойти и обнять его просто. Да, пьяного, спящего и безобразного, в колючей щетине, с тяжелым дыханьем! Живого. Со струйкой слюны на щеке.

Обнять и сказать:

— Слушай, я ведь с тобой.

А он, идиот! Идиот и подонок! Проклятые бабы его накрутили. Он возненавидел вдруг бабушку с мамой — во всем виноваты они. И мама как будто бы не понимала, что пьют не от радости, пьют от печали, от ужаса пьют перед жизнью и смертью, а не оттого, что сыграли спектакль!

Теперь вот что делать? Поехать на кладбище, где он зарыт, где палку воткнули с парадным портретом? Но папы там нет, ни секунды там не было! Живым, а не мертвым нужны эти кладбища! Прийти, поскулить, перекрасить ограду, каких-нибудь там насажать незабудок, а то еще ангела с белыми крыльями поставить над этим нарядным газоном! И ты теперь ангел, ты спи, наш хороший. Там некому спать! Там прогнившие кости! А не огород и не дачный участок!

Алеша и сам не заметил, как оказался на самой середине проезжей части улицы. Со всех сторон гудели машины, водители высовывали из окон безобразные свои физиономии с прилипшими к губам сигаретами. Первая встреча с Мариной вспомнилась ему: его тогда тоже почти переехали! А что, если взять позвонить ей, сказать, что он ее и не любил, и не любит! Напрасно пришла тогда с этим букетом! Сейчас-то она еще так себе, ладно, реснички там, глазки, а вот как состарится? Ужасная будет седая старуха.

Он остановился. А где теперь Катя? С похорон прошло четыре дня, она ни раз не напомнила о себе. А может, он тоже ей больше не нужен? Да кто кому нужен, когда *все помрут?*

Зашел в телефонную будку, набрал ее номер. Она подошла почти сразу.

— Я не помешал?

— Помешал? Ты? Алеша!

— Пойдем погуляем? — спросил он негромко. — Я недалеко тут.

— Так мне выходить?

— Минут через десять.

Она стояла у дома и ждала его. Шапки на ней не было, но были очки. От неожиданности он даже остановился. Очки были модными, в темной оправе, но только лицо ее вдруг изменилось: пропали глаза.

— Что? Не узнаешь? — спросила она.

— Да нет, узнаю. Это мода такая?

— Врачи прописали, ухудшилось зрение. Но, если не нравится, я могу снять.

— Зачем? Раз тебе прописали? Носи.

Он вдруг пожалел, что все это затеял: сорвал ее с места, позвал погулять. Уж лучше к Нефедову было пойти!

— Алеша, — сказала она осторожно, — дед в Питер уехал. Пустая квартира.

— А мне что с того?

— Ничего. Мы можем зайти туда. Чаю попить.

Скажи она это дней десять назад! Да он полетел бы, как жук из окошка!

— Ты знаешь что, Катя? Я лучше домой. Там мама одна. Да и просто — мне лучше.

Тоска по отцу стала невыносимой. Все тело заныло, как будто душа уже не вмещала ее, не справлялась.

Она отвернулась.

— Вот, Катя. Прости.

Теперь она плачет.

— Прости. Я пошел.

Она подняла очки кверху, на лоб, взглянула размытым куском светло-синего неба.

Он остановился.

— Ну ладно, пойдем.

Шли молча. Стемнело. Вошли в гулкий темный подъезд. Катя открыла дверь своим ключом. В квартире пахло собакой. Сначала Алеша почувствовал запах и тут же увидел собаку, большую, лохматую. Она подбежала, скуля от восторга. Катя села на корточки и поцеловала собаку в лоб.

— Вот это Кокоша, — сказала она.

— А я вот Алеша, — представился он, погладив собаку. — Огромный какой! Один, что ли, он здесь живет?

И вспомнил, что Яншин со дня похорон ни разу не ел. И мама насильно кормила его.

— Дед завтра вернется. Уехал вчера. Сегодня возьму его к нам ночевать, — ответила Катя. — А то он скучает.

Дед завтра вернется! А папа...

В коридоре было полутемно, свет из ванной комнаты, дверь в которую была полуоткрыта, слабо освещал его.

— Кто дед у тебя?

— Профессор по нервным болезням, известный.

— По нервным? Ну, это нужнее всего.

— Алеша, сними свою куртку.

Сняла свою шубку. И он скинул куртку.

— Ботинки снимать? А то я наслежу.

— Не нужно. Я вытру потом, ерунда.

Прошли вместе в комнату. Сели на стулья. В комнате было еще темнее, чем в коридоре. Фары проезжавших по улице машин и фонари, слабо раскачиваемые ветром, то сильнее, то слабее озаряли ее.

— Я чайник поставлю, — сказала она. — Ты хочешь поесть? Я сейчас приготовлю.

Он вспомнил, что и не обедал сегодня.

— Нет, есть не хочу. Но чаю бы выпил.

Она убежала. Кокоша остался и лег ему на ноги.

А Яншин всегда спал в ногах у отца. И пьяным отцом никогда не гнушался.

Она принесла ему чай, бутерброды.

— А ты? Ты не хочешь? — спросил он неловко.

— Я ела, — сказала она, — я сыта.

Прошло минут семь. Они оба молчали. Он выпил свой чай, съел один бутерброд. Сказать ей «спасибо», одеться, уйти. Быстрее, пока она не удержала.

— Алешенька, не уходи! — Она опустилась на корточки рядом с собакой. — Не надо.

Теперь как уйти? Когда двое у ног?

— Давай свет зажжем, а то очень темно.

Она поднялась, зажгла свет. Пес шумно встряхнулся, как будто бы выплыл на берег из бурной, широкой реки.

— Глаза очень режет, — смутился Алеша. — Какая-то лампа у вас слишком яркая...

Она погасила торшер.

— Ты не утешай меня, Катя. Не нужно, — сказал он, хотя она просто молчала.

— Я знаю, — сказала она. — Я не буду.

Но вдруг он рванулся к ней, обнял и вжался лицом прямо в голубизну ее глаз.

Отец его умер. А что это — умер? И где он **теперь?** *А помнишь, когда ты был* **здесь,** *мы ездили летом на Черное море? В гостинице не было мест, и мы спали у самой воды на песке? И море вдруг стало светиться? А мне было — сколько? Лет восемь? Нет, семь. Потом мы приехали в город — горячий от солнца, малюсенький город, и я заболел. Меня рвало с кровью, и я был так слаб, что даже не мог доплестись до уборной. Потом я заснул, а проснулся и вижу, как ты сидишь, плачешь, целуешь мне руку. Ты думал, что* *я ничего не заметил? Я просто тогда притворился, что сплю.*

В комнате было темно. Алешу обдавало жаром: в затылок дышала собака, которая встала на задние лапы и стала шершавым своим языком лизать ему шею и плечи.

— Я думал, — захлебываясь слезами, бормотал он, — что это может случиться с кем угодно, но только не с ним, вернее, я не думал об этом, но, когда мне говорили, что кто-то умер, я всегда чувствовал, что это кто-то другой, но не он, и теперь мне иногда кажется, что все-таки это не он, но это же он, это он...

— Не надо, Алеша, не надо, не надо, — мучаясь, что ей нечем возразить ему, шептала Катя, быстро и крепко целуя его, и в неровных вспышках, освещающих комнату с улицы, видно было, как ее маленькие руки торопливо гладят его голову и одновременно отталкивают собаку. — Алеша, он знает, что ты его любишь, он видит все это...

— Откуда ты знаешь?

— Мне кажется так. Умершие ведь даже снятся поэтому...

— Откуда ты знаешь, что папа мне снился? Я разве сказал?

— Нет, не говорил...

Они замолчали. И стало так тихо, как будто бы, кроме дыханья собаки, ни звука не существовало на свете.

Не дай Бог бы кто-то вошел и увидел, как двое, один из которых — подросток, за несколько дней до того схоронивший родного отца, а другая — девчонка, которой доверчивый дед предоставил пустую квартиру, не дай Бог, увидел какой-нибудь бы посторонний, как нежно они целовали друг друга в столовой, и как прошли в спальню, и в спальне легли на пахнущую грязной черной собакой кровать весьма недальновидного деда и переплелись в ней, лаская друг друга и так задыхаясь, дрожа, торопясь, как будто бы смерть разлучить их грозила, а им нужно было успеть стать одною, той самой, навлекшей проклятие плотью, поскольку они незаметно вкусили от райского яблока, а после этого у них уже не было, Господи, выбора.

Литературно-художественное издание

ВЫСОКИЙ СТИЛЬ. ПРОЗА И. МУРАВЬЁВОЙ

Муравьёва Ирина

РАЙСКОЕ ЯБЛОКО

Ответственный редактор *О. Аминова*
Литературный редактор *И. Добрякова*
Младший редактор *О. Крылова*
Художественный редактор *А. Стариков*
Технический редактор *О. Лёвкин*
Компьютерная верстка *С. Кладов*
Корректор *З. Харитонова*

В оформлении обложки использован рисунок *В. Еклериса*

ООО «Издательство «Эксмо»
127299, Москва, ул. Клары Цеткин, д. 18/5. Тел. 411-68-86, 956-39-21.
Home page: **www.eksmo.ru**   E-mail: **info@eksmo.ru**

Өндіруші: Издательство «ЭКСМО»ЖШҚ, 127299, Мәскеу, Ресей, Клара Цеткин көш., үй 18/5.
Тел. 8 (495) 411-68-86, 8 (495) 956-39-21
Home page: www.eksmo.ru   E-mail: info@eksmo.ru.
Тауар белгісі: «Эксмо»
Қазақстан Республикасында дистрибьютор және өнім бойынша арыз-талаптарды қабылдаушының
өкілі «РДЦ-Алматы» ЖШС, Алматы қ., Домбровский көш., 3«а», литер Б, офис 1.
Тел.: 8(727) 2 51 59 89,90,91,92, факс: 8 (727) 251 58 12 вн. 107; E-mail: RDC-Almaty@eksmo.kz
Өнімнің жарамдылық мерзімі шектелмеген.
Сертификация туралы ақпарат сайтта: www.eksmo.ru/certification

Сведения о подтверждении соответствия издания согласно законодательству РФ
о техническом регулировании можно получить по адресу: http://eksmo.ru/certification/

Өндірген мемлекет: Ресей
Сертификация қарастырылмаған

Подписано в печать 12.08.2013.
Формат 84x108 $^1/_{32}$. Гарнитура «Таймс».
Печать офсетная. Усл. печ. л. 15,12.
Тираж 4000 экз. Заказ № 5987.

Отпечатано с готовых файлов заказчика
в ОАО «Первая Образцовая типография»,
филиал «УЛЬЯНОВСКИЙ ДОМ ПЕЧАТИ»
432980, г. Ульяновск, ул. Гончарова, 14

ISBN 978-5-699-66368-2

Оптовая торговля книгами «Эксмо»:
ООО «ТД «Эксмо». 142700, Московская обл., Ленинский р-н, г. Видное,
Белокаменное ш., д. 1, многоканальный тел. 411-50-74.
E-mail: **reception@eksmo-sale.ru**

*По вопросам приобретения книг «Эксмо» зарубежными оптовыми
покупателями обращаться в отдел зарубежных продаж ТД «Эксмо»*
E-mail: **international@eksmo-sale.ru**

*International Sales: International wholesale customers should contact
Foreign Sales Department of Trading House «Eksmo» for their orders.*
international@eksmo-sale.ru

*По вопросам заказа книг корпоративным клиентам, в том числе в специальном
оформлении,* обращаться по тел. +7 (495) 411-68-59, доб. 2261, 1257.
E-mail: **vipzakaz@eksmo.ru**

*Оптовая торговля бумажно-беловыми
и канцелярскими товарами для школы и офиса «Канц-Эксмо»:*
Компания «Канц-Эксмо»: 142702, Московская обл., Ленинский р-н, г. Видное-2,
Белокаменное ш., д. 1, а/я 5. Тел./факс +7 (495) 745-28-87 (многоканальный).
e-mail: **kanc@eksmo-sale.ru**, сайт: www.kanc-eksmo.ru

Полный ассортимент книг издательства «Эксмо» для оптовых покупателей:
В Санкт-Петербурге: ООО СЗКО, пр-т Обуховской Обороны, д. 84Е.
Тел. (812) 365-46-03/04.
В Нижнем Новгороде: ООО ТД «Эксмо НН», 603094, г. Нижний Новгород,
ул. Карпинского, д. 29, бизнес-парк «Грин Плаза». Тел. (831) 216-15-91 (92, 93, 94).
В Ростове-на-Дону: ООО «РДЦ-Ростов», пр. Стачки, 243А. Тел. (863) 220-19-34.
В Самаре: ООО «РДЦ-Самара», пр-т Кирова, д. 75/1, литера «Е». Тел. (846) 269-66-70.
В Екатеринбурге: ООО «РДЦ-Екатеринбург», ул. Прибалтийская, д. 24а.
Тел. +7 (343) 272-72-01/02/03/04/05/06/07/08.
В Новосибирске: ООО «РДЦ-Новосибирск», Комбинатский пер., д. 3.
Тел. +7 (383) 289-91-42. E-mail: **eksmo-nsk@yandex.ru**
В Киеве: ООО «РДЦ Эксмо-Украина», Московский пр-т, д. 9. Тел./факс: (044) 495-79-80/81.
В Донецке: ул. Артема, д. 160. Тел. +38 (032) 381-81-05.
В Харькове: ул. Гвардейцев Железнодорожников, д. 8. Тел. +38 (057) 724-11-56.
Во Львове: ТП ООО «Эксмо-Запад», ул. Бузкова, д. 2. Тел./факс (032) 245-00-19.
В Симферополе: ООО «Эксмо-Крым», ул. Киевская, д. 153.
Тел./факс (0652) 22-90-03, 54-32-99.
В Казахстане: ТОО «РДЦ-Алматы», ул. Домбровского, д. 3а.
Тел./факс (727) 251-59-90/91. **rdc-almaty@mail.ru**

Полный ассортимент продукции издательства «Эксмо»
можно приобрести в магазинах «Новый книжный» и «Читай-город».
Телефон единой справочной: 8 (800) 444-8-444. Звонок по России бесплатный.

Интернет-магазин ООО «Издательство «Эксмо»
www.fiction.eksmo.ru
Розничная продажа книг с доставкой по всему миру.
Тел.: +7 (495) 745-89-14. E-mail: **imarket@eksmo-sale.ru**